Événements inexpliqués et personnages étranges du monde

Du même auteur
chez le même éditeur

L'Arche de Noé retrouvée
L'Atlantide retrouvée, le huitième continent.
Personnages extraordinaires.

Charles Berlitz

Événements inexpliqués et personnages étranges du monde

traduit de l'américain par
Étienne Menanteau

L'Homme et l'Univers

ÉDITIONS DU ROCHER
Jean-Paul BERTRAND
Éditeur

Titre original :

Strange people and amazing stories

ISBN 226800925-4

Toute nouveauté dérange, et l'on n'est que trop porté à la tourner en ridicule. Et pourtant... Notre vie quotidienne ne repose-t-elle pas sur une succession de rêves absurdes ? Nous nous servons tous les jours d'appareils et d'instruments jugés, il n'y a pas si longtemps encore, parfaitement illusoires. Le train, l'automobile, l'avion, le sous-marin, la radio, la télévision – pour ne pas parler des satellites et des engins spatiaux – autant de chimères devenues réalités...

L'incrédulité, hélas se double le plus souvent de mépris. Dans l'ensemble, les « miracles » de la science et de la technique se heurtèrent, au départ, à l'hostilité quasi générale. En 1868, par exemple, la presse ne voit dans le téléphone qu'une vulgaire escroquerie. Cinq ans après le vol inaugural des frères Wright, la très sérieuse revue d'outre-Atlantique *American Scientific* n'en a toujours pas fait mention. Un savant renommé, Simon Newcomb, n'a-t-il pas, d'ailleurs, prouvé qu'il était mathématiquement impossible de faire voler un engin plus lourd que l'air ? Avant 1914, nul ne songe, au sein de l'armée française, que les avions puissent remplir autre chose que des missions d'observation. Lavoisier, le célèbre chimiste parisien du XVIIIe siècle, en appelle, quant à lui, au bon sens contre l'existence des météorites, au motif que « puisqu'il n'y a pas de cailloux dans le ciel, comment pourrait-il en tomber ? ». Lorsque l'on présente pour la première fois le phonographe à l'Académie des sciences de Paris, le secrétaire perpétuel saisit le démonstrateur au collet, en criant au ventriloque ! Bien sûr, le rouleau continue à tourner, et la musique à jouer...

Plus près de nous, l'atome ne sera vraiment admis qu'après Hiroshima ou Nagasaki...

Il subsiste toujours une multitude de domaines qui, pour n'être pas reconnus officiellement, n'en font pas moins l'objet de recherches actives, comme la télékinésie, la téléportation, la télépathie, la préconnaissance, la transmigration, la clairvoyance, ou l'existence d'une « psyché ». Cette dernière notion, qui suppose que le pouvoir du cerveau transcende ses composantes organiques, reste encore très obscure. S'agissant d'une intelligence distincte du corps, capable de s'en détacher pendant la vie, puis de lui survivre après la mort, la question se pose alors de savoir si elle diffère avec la personnalité de chacun, ou bien si elle est la même pour tous...

Bref, les illusions d'aujourd'hui seront peut-être les vérités de demain, et nul ne sait de quoi l'avenir sera fait...

L'Avenir du visage

Puissant moyen de défense, les dents permettaient aussi à l'homme de la Préhistoire de s'alimenter de façon grossière. Depuis, les armements se sont multipliés et l'humanité a appris à se nourrir de façon autrement délicate et raffinée, si bien qu'elle a de moins en moins besoin de ces solides appendices buccaux pour vivre. Voilà pourquoi, au dire d'un spécialiste de la dentition, l'on s'achemine vers un type d'homme glabre, sans dents ni cheveux.

Selon David Marshall, dont la spécialité est l'orthodontie, « les mâchoires de l'homme commencent déjà à rapetisser, tandis que la boîte crânienne augmente de volume. Parallèlement, les dents perdent leurs aspérités, et leurs racines rétrécissent ». Depuis trente-cinq ans qu'il étudie le crâne de l'homme, David Marshall, qui a fondé un musée d'anatomie à Syracuse, dans l'État de New York, affirme déceler des changements irrémédiables. Si par conséquent l'évolution actuelle se poursuit, l'être humain, d'ici quelques millions d'années, sera à l'en croire chauve, avec des traits fortement accentués et des mâchoires atrophiées.

Reste, comme le note lui-même David Marshall, que nous avons infiniment plus de prise sur notre environnement que l'Homo Sapiens de la Préhistoire, « de sorte, ajoute-t-il, que des facteurs tels que le génie génétique risquent de bouleverser les projections ».

L'Expérience du seuil de la mort chez les enfants

A Washington, une petite fille de sept ans manque se noyer dans une piscine publique. Transportée d'urgence à l'hôpital, elle sombre dans un coma profond. « J'étais morte », déclara-t-elle par la suite en reprenant conscience. « Je me trouvais dans un tunnel obscur. Tout était noir. J'avais peur et je ne pouvais pas marcher. »

Apparaît une femme nommée Elizabeth, qui la conduit au Ciel. Là, elle rencontre ses grands-parents, ainsi que l'une de ses tantes, tous décédés, et aussi « le Père et le Fils ». Comme on lui demande si elle veut revoir sa mère, elle répond par l'affirmative, et elle se réveille sur son lit d'hôpital.

Avec cet épisode, relaté par le pédiatre Melvin Morse dans une revue spécialisée, l'*American Journal of Diseases of Children*, c'est la première fois qu'il est fait mention dans la littérature médicale d'une expérience de mort apparente vécue par un enfant. Melvin Morse a interrogé ultérieurement d'autres gosses victimes de chocs traumatiques, qui lui tinrent des propos analogues. L'un d'eux déclara qu'on l'avait grondé au Ciel, un autre qu'il avait traversé un long tunnel noir sur un rayon de lumière.

Sans doute ces enfants étaient-ils issus d'un milieu croyant. Morse ne croit pas pour autant qu'ils aient été le jouet de leur imagination, mais il suggère que peut-être ils ont entrevu l'au-delà, ou plus vraisemblablement que les visions évoquées ne sont que les archétypes enfouis au fond de la conscience de chacun.

Mortel Alibi

Le 4 avril 1953, par une belle après-midi ensoleillée, plusieurs personnes aperçoivent un homme qui tente de s'introduire dans un luxueux appartement de Chicago. Ils notent l'heure avec soin, et de plus ils reconnaissent le malfaiteur : un certain William Brooks, âgé de trente-deux ans.

Pour la police, c'est une affaire réglée d'avance. Il s'avère pourtant vite que celui que tout semble accuser possède un alibi étrange certes, mais néanmoins irréfutable.

Au cours de leurs investigations, les enquêteurs apprennent que Brooks, libéré de prison sur parole, n'a pas un sou en poche. La cause paraît entendue lorsque l'on découvre un tournevis dissimulé dans le capitonnage de sa voiture. La pointe de l'outil correspond en effet exactement aux marques laissées sur la porte par celui qui a essayé de la forcer.

Pourtant, lors de son procès, Brooks clame son innocence. Il prétend même qu'à ce moment-là, il était... mort. On vérifie – c'est son avocat commis d'office qui s'en charge – et on s'aperçoit qu'il dit vrai !

Son histoire est la suivante : en mars, il est entré à l'hôpital des Anciens Combattants pour des ennuis d'ulcères. A sa sortie, on a confondu son dossier avec celui de quelqu'un portant exactement le même nom. L'ennui, c'est que ce dernier, lui, est mort. Le jour de la tentative de cambriolage, Brooks s'efforçait de démêler l'embrouille auprès des services compétents du ministère des Anciens Combattants, afin de pouvoir de nouveau toucher sa pension d'invalidité.

On a pu ainsi établir qu'à l'heure du délit, il attendait là-bas qu'un télégramme, arrivé finalement à 1 h 30, fasse la preuve de son identité. Le tribunal l'a vite relaxé, au vu de ce qui reste sans doute l'alibi le plus original de toute l'histoire. A 1 h 30, quand on a tenté de cambrioler l'appartement, Brooks, officiellement, était décédé...

Les Habitants des astéroïdes

Les extraterrestres ont peut-être bien trouvé l'endroit idéal où fonder une colonie – la ceinture d'astéroïdes qui s'étend entre Mars et Jupiter.

Michel Papagiannis, astronome attaché à l'université de Boston, énumère les raisons susceptibles d'attirer sur cette poussière de gros cailloux des voyageurs de l'espace.

D'abord, ces astéroïdes renferment quantité de matières premières indispensables à la vie d'une telle colonie ; ensuite, là où ils sont situés, on peut utiliser l'énergie solaire. On y observe en outre de nombreuses anfractuosités, où pourraient venir s'abriter des vaisseaux spatiaux.

Selon Michel Papagiannis, ce relief accidenté permettrait également aux extraterrestres de dissimuler leurs activités. Pour quelle raison, toutefois, ces derniers voudraient-ils échapper aux télescopes braqués sur eux depuis la Terre ? « Nous avons accompli des progrès techniques considérables. Peut-être hésitent-ils à nous donner un coup de main, ou bien à nous annihiler », conclut notre astronome.

Pluie d'oiseaux

« Il pleut des hallebardes », dit-on en cas de violente averse. Mais on cite plusieurs cas où ce sont de véritables nuées d'oiseaux morts qui sont tombées du ciel.

Selon des sources autorisées, durant l'automne 1846, des grappes d'oiseaux, morts ou mourants, s'abattent sur diverses régions de France, en même temps qu'une drôle de pluie rouge. Pas plus à Lyon qu'à Grenoble les savants ne sont en mesure d'expliquer pourquoi alouettes, canards, rouges-gorges et cailles tombent par centaines, tout comme ils sont incapables de déterminer la nature de cette fameuse « pluie rouge ».

Trente ans plus tard, en juillet 1876, on assiste dans les environs de Baton Rouge, en Louisiane, à une véritable avalanche d'oiseaux morts – picverts, grives, merles, canards sauvages, et autres. Curieusement, ils ne sont pas tous originaires de la région.

En 1969, au cours de l'été, c'est à Capitola, en Californie, que se reproduit le même phénomène. L'agent de police Ed Cunnigham, alors en patrouille, situe le début du déluge vers 2 heures et demie du matin, lorsqu'il commence à pleuvoir de gros volatiles autour du véhicule. « Il en tombait tellement, raconte-t-il, que je risquais de me faire assommer en sortant. Je suis donc resté dans la voiture. »

Sur les 8 kilomètres qui vont de Capitola à West Cliff Drive, la plage et la route côtière sont jonchées de cadavres. Au lever du jour, on mesure l'ampleur de l'hécatombe : partout des carcasses d'oiseaux morts, accrochées aux fils électriques, aux piquets des clôtures, aux arbustes et aux antennes de télévision...

Qu'est-ce qui a bien pu faire tomber tous ces oiseaux ? Doit-on incriminer la pollution atmosphérique, les conditions météorologiques, ou encore une maladie ou un empoisonnement ? De l'avis des spécialistes qui les ont examinés, c'est leur chute qui les a tués. Quant à savoir pourquoi ils ont brusquement cessé de voler et sont tombés en pluie sur le sol, cela reste une énigme.

Une blonde du temps jadis

Découvert au milieu des années quatre-vingt par des archéologues chinois, ce cadavre momifié est le plus ancien et le mieux conservé jamais trouvé dans leur pays. Le hic, c'est que cette femme, qui nous est parvenue presque intacte, était de race blanche...

Selon le quotidien *China Daily*, elle mesurait environ 1,60 mètre, elle avait la peau cuivrée et de grands cheveux blonds. Du fait qu'elle a été ensevelie dans une région aride et désertique, sa peau est restée souple et ses organes internes pratiquement intacts.

D'après les chercheurs, elle appartenait vraisemblablement au peuple des Ouigours, les ancêtres des Turcs modernes. Les Ouigours, explique Wu Tung, conservateur au musée des Beaux-Arts de Boston, subirent l'influence des Grecs, des Indiens et des Chinois.

L'équipe médicale de Shanghai qui a analysé sa dépouille a fait des découvertes étonnantes : au moment de sa mort, ses tissus musculaires renfermaient un taux élevé de cholestérol, et l'on a trouvé de mystérieuses traces d'antimoine, un métalloïde argenté, dans ses poumons.

Le Feu intérieur

Bien que l'on cite souvent le cas de gens s'enflammant tout à coup, les sceptiques prétendent que la combustion spontanée est impossible chez l'homme. Tel n'est assurément pas l'avis de Jack Angel, qui habite Atlanta, en Géorgie. Il est parfois considéré comme le seul à en avoir jamais réchappé et à être en mesure de nous livrer son témoignage.

Autrefois, Jack Angel était un représentant de commerce en pleine forme, qui gagnait 70 000 dollars par an. Aujourd'hui, il est invalide et il ne peut pas se déplacer, tout cela à cause d'un accident bizarre qui lui est arrivé à Savanah, où l'avait conduit son travail. Il était en train de se reposer dans sa caravane lorsqu'une douleur cuisante l'éveilla en sursaut : il prenait feu ! David Fern, le médecin appelé au chevet du brûlé, constata que celui-ci présentait un trou à la poitrine, que ses vertèbres avaient fondu, et que l'un de ses bras, carbonisé, était perdu...

Rien autour ne semblant avoir été en contact avec les flammes, les brûlures de Jack Angel ne peuvent s'expliquer, selon David Fern, que par un phénomène de combustion spontanée, une mystérieuse réaction moléculaire qui provoque un véritable incendie à l'intérieur du corps.

Évolution programmée

Le genre humain a-t-il cessé d'évoluer ? Non, répond un savant, Hans Moravec. Cependant, le portrait qu'il trace de l'homme de demain n'a pas grand-chose à voir avec celui de l'humanoïde chauve, au crâne démesuré et à la bouche pincée que l'on nous présente habituellement dans les ouvrages de science-fiction.

Chercheur dans un laboratoire d'intelligence artificielle, Hans Moravec prétend que l'on s'achemine droit vers une fusion entre l'homme et la machine.

Dans moins de trente ans, affirme-t-il, il sera possible de remplacer les membres, naturellement périssables et peu performants, par des éléments robotisés beaucoup plus solides, tandis que le cerveau, relativement lent, s'appuiera sur des ordinateurs superintelligents. A l'en croire, des programmes informatiques calqués sur nos structures mentales nous permettront de penser infiniment plus vite qu'aujourd'hui.

Toujours selon lui, un autre pas de géant sera franchi le jour où les surhommes robotisés cesseront de vouloir se singulariser, mais au contraire échangeront leurs programmes. Ainsi, par exemple, un architecte sans aucune notion de cuisine pourra-t-il préparer un dîner fin, rien qu'en empruntant la mémoire d'un chef de talent. Les savants, quant à eux, auront accès aux esprits brillants, ce qui leur permettra de réfléchir en commun sur les mystères de l'univers.

A terme, les cerveaux humains fusionneront tous avec ceux des autres formes vivantes ici-bas. « Au bout de quelques années d'un tel échange, note-t-il, il est probable que nous en arrivions à ne former qu'une seule entité consciente, dont la mémoire sera stockée dans une immense banque de données couvrant tout l'univers. »

Moravec, ici, ne fait que rejoindre la conception plusieurs fois millénaire des philosophes de l'Inde. Dès les premiers textes sanscrits, il est dit que toute réalité ou forme vivante procédant de l'activité de l'esprit humain retournera un jour au Divin, à Brahma.

La Mer du Diable

Il n'y a pas que dans le Triangle des Bermudes que l'on s'inquiète de voir régulièrement disparaître des bateaux. Une zone située au large du Japon a englouti tellement de navires que le gouvernement japonais l'a officiellement déclarée périmètre à risque.

L'endroit est connu sous le nom de « Mer du Diable », ou « Mer du Démon », depuis qu'en 1953 neuf bateaux y sombrèrent corps et biens. Un bâtiment envoyé à leur recherche, le *Kayio Maru*, a lui-même disparu au bout de dix jours. Ces quinze dernières années, ce sont au total une douzaine de navires dont on a ainsi perdu la trace dans la Mer du Diable.

Les chercheurs japonais pensent que les conditions météorologiques particulièrement difficiles et les vagues énormes rencontrées là-bas en hiver expliquent en partie ces disparitions. La Mer du Diable présente aussi, soulignent-ils, une particularité : le Nord magnétique et le Nord polaire y sont dans le même alignement, ce qui empêche de faire le point avec précision.

Dans l'espoir de percer le mystère de ces eaux traîtresses, le ministère japonais des Transports a lancé une nouvelle campagne d'études *in situ*. Toutefois, plutôt que de faire courir des risques à un équipage, on procède à l'ancrage de bouées-robots qui transmettront pendant des années des informations sur le vent, sur les vagues et sur les conditions météorologiques régnant dans ce qui est, pour le Japon, l'équivalent du Triangle des Bermudes.

Dissection en famille

Ça leur faisait tout drôle, à ces petits étudiants en médecine, de découvrir leurs premiers cadavres dans la salle d'anatomie. Mais une jeune fille, elle, fut littéralement horrifiée en voyant l'un d'eux, comme en témoigne une lettre publiée dans le *Journal of American Medical Association*. Ne venait-elle pas de reconnaître, là, près d'être disséqué avec les autres, le corps de sa grand-tante récemment décédée !

Morte en Floride, c'étaient les services de santé locaux qui avaient adressé sa dépouille en Alabama. Comme il n'était évidemment pas question de laisser une de leurs nouvelles recrues assister à la dissection d'un membre de sa famille, les professeurs présents firent transporter le corps dans une autre salle. On décida aussi de communiquer à l'avenir l'identité des cadavres aux étudiants.

« Cette jeune personne se remit sans dommage du choc subi ce jour-là », note un psychiatre, Clarence MacDanal.

L'ironie veut que ce soit sans doute à cause d'elle que le cadavre de sa grand-tante avait atterri dans une salle de dissection, car elle n'avait pas manqué de lui expliquer, dans les derniers temps, l'intérêt de léguer son corps à la science.

Rêve à la une

Long Beach, Californie. Il est environ 3 heures du matin, ce 29 janvier 1953, quand Mrs. John Walik se redresse en sursaut dans son lit : elle vient de faire un cauchemar affreux, et particulièrement réaliste.

C'est un avion, qui s'approche d'un aéroport en survolant un plan d'eau à basse altitude. Il se stabilise, puis soudain il décroche, rebondit sur les vagues, et va finalement s'écraser en flammes un peu plus loin sur la terre ferme.

La précision de son rêve l'inquiète : elle a très nettement reconnu un quadrimoteur gros porteur de type Constellation, analogue à celui de la compagnie Slick Airways à bord duquel son mari est navigateur.

John serait-il par hasard en danger ? Le lendemain matin, Mrs. Walik téléphone dès l'ouverture au bureau de la compagnie pour demander des nouvelles de son époux. On la rassure : il ne s'est produit aucun accident, et John, actuellement en route pour la côte Ouest à bord d'un avion-cargo, devrait être de retour dans les prochains jours.

Mrs. Walik pourtant n'est pas tranquille. Comme elle s'évertue à l'expliquer autour d'elle, à ses voisins, à ses amis, à ses proches, il ne s'agit pas là d'un rêve ordinaire. Il a quelque chose de terrifiant – il a l'air vrai !

Le 3 février, elle appelle de nouveau Slick Airways. On lui répond une fois de plus qu'il n'y a pas de raison de s'inquiéter, et que John doit se poser dans la matinée à l'aéroport international de San Francisco.

Elle raccroche. Brusquement, une série de détails lui reviennent à l'esprit. Dans son rêve, l'appareil se fracassait près du rivage. Or, pour se poser à l'aéroport international de San Francisco, les avions doivent d'abord survoler la baie...

Elle rappelle aussitôt la compagnie. Mais alors même qu'elle fait part de ses inquiétudes aux responsables, son cauchemar s'est déjà réalisé : l'appareil dans lequel se trouvait son mari vient de s'écraser au bord de la piste, et il a pris feu aussitôt. On comptera cinq morts et quatre rescapés, dont John Walik.

Le lendemain, dans le *Long Beach Independent Press*, on annonce en gros titres : « Elle voit en rêve l'accident d'avion de son mari. » L'article explique que Mrs. Walik a eu « l'exacte prémonition du destin tragique qui attendait le Constellation ».

Rumeur domestique

L'histoire se passe dans les années soixante. Un chauffeur de poids lourds, Eugene Binkowski, et sa famille, habitant Rotterdam, dans l'État de New York, se plaignent de maux étranges. Ils ressentent des douleurs à la tête, dans les dents, dans les oreilles et dans les articulations. D'où cela peut-il bien venir ?

Évoquant un lien possible avec le léger et incessant bruit de fond perçu dans la maison, ils s'adressent à la police et aux techniciens d'une centrale électrique voisine. Stupeur des policiers et des ingénieurs, quand ils leur déclarent entendre en permanence une sorte de bourdonnement !

Eugene Binkowski finira par écrire directement à la Maison-Blanche et demander au président Kennedy de l'aider à tirer au clair ce mystère. Peu après réception de sa lettre, six experts de l'armée de l'air débarquent dans le pavillon de banlieue des Binkowski, munis d'appareils compliqués servant à détecter les hautes fréquences.

S'ils ne parviennent pas à déterminer la nature des bruits qui les gênent, ils font cependant une découverte sensationnelle : les Binkowski possèdent tous une oreille anormalement fine, ce qui permet d'accorder foi à leurs déclarations. Même le petit Terry de six ans est capable de discerner des sons qui échappent au commun des mortels. Seule explication donnée par les spécialistes au bourdonnement continuel perçu par la famille, la présence dans les parages de trois stations de radio...

Dès que la nouvelle se répand, les curieux se précipitent pour entendre à leur tour le fameux bruit. Dans l'ensemble, ils affirment déceler eux aussi quelque chose, ou bien se sentir la tête lourde. Quelle que soit l'origine de ce curieux phénomène, Eugene Binkowski se résoudra en fin de compte à déménager, et il ira s'installer avec sa famille dans un garage des environs.

La Cité des Morts

La revue soviétique *Troud* rapporte qu'au milieu des années quatre-vingt, des explorateurs médusés ont découvert des cavernes entières remplies de cadavres momifiés, qu'ils baptisèrent alors « La Cité des Morts ».

Ce que sont venus y faire au départ les dizaines d'êtres humains, de chevaux et d'animaux sauvages dont on a retrouvé les restes, et ce qui les a ensuite transformés en momies, on n'en sait rien au juste.

D'après les spécialistes interrogés par *Troud*, il pourrait s'agir de nomades du IVe siècle avant notre ère, qui cherchaient à échapper aux troupes d'Alexandre le Grand. C'est également l'avis de Thomas Burns, un historien de l'université Emory, à Atlanta, qui, dit-il, « imagine parfaitement que des gens soient venus se réfugier dans cette partie de l'Asie centrale devant l'avance de l'ennemi, ou pour fuir les menées d'une famille rivale ».

De son côté, Brad Shore, professeur d'anthropologie dans le même établissement, note que « c'est peut-être une catastrophe naturelle qui a transformé ces malheureux nomades en momies. Même si c'est très rare, on a déjà trouvé les restes pratiquement intacts de gens surpris par un éboulement ou par une coulée de boue ».

Si l'on ignore toujours comment ont péri ceux qui allaient devenir les momies de la « Cités des Morts », les montagnards du coin prétendent eux depuis longtemps que ces cavernes portent malheur. *Troud* note ainsi que l'on croit dans la région que la peste noire est venue à l'origine de ces grottes infestées de mites.

Il est de fait qu'en ressortant à l'air libre, les spéléologues russes se sentaient meurtris de partout – preuve de l'agressivité des insectes qui cohabitent avec les momies.

Langage nocturne

Lorsque Gene Sutherland de Mesa, en Arizona, allait se coucher, sa femme s'attendait plus ou moins à être dérangée au cours de la nuit : il lui arrivait en effet souvent de la réveiller en parlant dans son sommeil. D'ordinaire, elle se contentait de lui dire quelques mots, puis elle replongeait dans ses rêves. Mais une nuit, le discours de Gene lui parut franchement singulier...

Il avait l'air agité, surexcité, et il s'exprimait avec, semble-t-il, un fort accent étranger émaillé de sons en « vitch » et en « ski »...

Comprenant tout de suite qu'il ne parlait pas de façon ordinaire, Mrs. Sutherland enregistra le tout sur un magnétophone. Lorsqu'il entendit ensuite la bande, son mari tomba des nues. Wilma, quant à elle, était persuadée que c'était en russe qu'il avait rêvé tout haut l'autre soir. Pour en avoir le cœur net, elle s'adressa au professeur Lee Croft de l'université de l'Arizona, à qui elle fit écouter l'enregistrement.

Non seulement ce dernier confirma-t-il ses soupçons, mais encore fut-il capable de reconnaître huit ou neuf locutions russes, telles que « un ivrogne », ou bien « excusez-moi, ça tombe sous le sens ».

Gene Sutherland rétorqua bien sûr qu'il ne parlait pas un mot de russe, et qu'il n'avait jamais été en contact avec des gens parlant cette langue qu'à la fin de la Deuxième Guerre mondiale, lorsque les forces américaines dont il faisait partie opérèrent leur jonction avec l'Armée rouge sur l'Elbe.

Lee Croft pense qu'inconsciemment Gene Sutherland a enregistré le russe entendu à cette époque, et qu'il peut donc le ressortir pendant son sommeil.

Lorsque l'affaire s'ébruita, on lui proposa toutes sortes d'explications – on parla même de réincarnation et de possession diabolique.

Le Monstre de Tasmanie

Il est fréquent qu'après une violente tempête la mer rejette sur le rivage des cadavres d'animaux. Mais la bête morte qui vient s'échouer en juillet 1960 sur la côte de Tasmanie, en Australie, ne ressemble à rien d'autre...

Un fermier, Ben Fenton, est en train de rassembler du bétail avec des employés, non loin de l'embouchure du fleuve Interview, quand deux hommes tombent sur le « monstre » – soit une large masse circulaire faisant dans les 3 mètres de large, et à peu près 2 mètres de haut en son centre, couverte de poils ras et rugueux...

Ben Fenton alerte les autorités, qui dépêchent sur les lieux un naturaliste, accompagné d'une brochette de scientifiques alléchés par la découverte. La peau du « monstre », de près de 3 centimètres d'épaisseur, est si dure qu'il s'avère pratiquement impossible de la percer pour effectuer des prélèvements. Ce n'est qu'au bout d'une heure d'efforts que deux membres de l'équipe, armés de haches, parviendront à découper un morceau de cette substance blanche et fibreuse qui lui tient lieu de chair...

En guise de réponse, les examens de laboratoire soulèveront plutôt de multiples interrogations, les chercheurs, faute de pouvoir identifier l'animal, se contentant de dire ce qu'il n'est pas...

Deux années passent, mais on n'oublie pas pour autant le « Monstre de Tasmanie ». Le Parlement australien se saisit de l'affaire, et une nouvelle mission scientifique se rend en cet endroit désert de la côte où le cadavre de l'animal continue de se dessécher. Au terme de vingt-quatre heures de débats et de controverses, les savants publieront un communiqué officiel... concluant qu'il s'agit d'une bête inconnue...

Animaux déplacés

Des kangourous en Caroline du Nord ? pourquoi pas aussi des éléphants roses !... Ce n'est pas ce que pense Loren Coleman. Employé dans un dispensaire d'hygiène mentale, il se passionne aussi pour la cryptozoologie (l'étude des mystères du règne animal), et il ne croit pas du tout que l'on soit victime d'hallucinations lorsque l'on aperçoit tout à coup des animaux « exotiques ». Au contraire, pense-t-il, il se pourrait très bien que ces bêtes aient été « téléportées » d'un point à l'autre du globe...

« Cela vient toujours comme un cheveu sur la soupe. On a carrément l'impression que ces animaux sont tombés du ciel », observe-t-il. C'est comme ça que l'on signale au début des années quatre-vingt des kangourous en Caroline du Nord, dans l'Oklahoma et dans l'Utah, et un pingouin sur une plage du New Jersey. En Floride, des gens ont la stupeur de tomber nez à nez avec des varans du Nil, que l'on ne trouve en principe qu'en Afrique.

Bien sûr, on peut supposer qu'il s'agit d'animaux amenés tout petits dans le pays, et qui ont ensuite été lâchés dans la nature. « Seulement, précise Loren Coleman, ce n'est pas si simple. » Il a épluché les témoignages, interrogé les gardes-chasse, les policiers, discuté avec les gens. Si la moitié du temps, au moins, on parvient à une explication logique, dans vingt pour cent des cas, le mystère demeure entier.

Frôlée par un monstre

Cela fait des siècles que l'on signale, de temps à autre, des drôles de bêtes ressemblant à des dinosaures. On pense évidemment à Nessie, l'illustre montre du Loch Ness. Mais c'est au Canada, en Colombie britannique exactement, que l'on établira pour la première, et seule fois, un contact direct avec l'animal...

Par une belle après-midi d'été, Barbara Clark s'en va nager sur le lac Okanagan. D'un crawl souple et délié, elle rejoint un plongeoir, installé à 400 mètres environ de la berge. Elle tressaille. Une masse sombre et rugueuse lui frôle la cuisse ! Elle fonce vers le petit îlot en rondin, grimpe en vitesse dessus – et que voit-elle, en se retournant ? Une espèce d'énorme serpent, faisant dans les 10 mètres de long et à peu près 1 mètre de large ! Il tourne autour du perchoir, gardant la tête sous l'eau ; mais on distingue nettement sa queue, fourchue...

Pour Richard Greenwell, secrétaire de la Société internationale de cryptozoologie (spécialisée dans l'étude des phénomènes bizarres concernant le règne animal), il n'y a aucune raison de mettre en doute son témoignage. « Si elle a jusque-là gardé le silence, c'est parce qu'elle avait peur que l'on se moque d'elle », explique-t-il.

Les Indiens, d'ailleurs, parlaient déjà d'un monstre qui hantait les eaux du lac Okanagan, « l'Ogopogo », qui ressemble étrangement au « serpent géant » de Barbara Clark...

Quoi qu'il en soit, cette mystérieuse créature surgie

des profondeurs ne semblait pas animée d'intentions hostiles. Pour Richard Greenwell, c'est normal : la forme de sa queue indique qu'il s'agit d'un mammifère aquatique, et les mammifères sont curieux de nature. « Sans doute notre ami voulait-il voir ce qui barbotait à la surface », conclut-il.

Qui es-tu, Oliver ?

On peut dire que c'est un cas, Oliver. Ça fait maintenant plus de dix ans qu'on l'a trouvé, et on ne sait toujours pas dans quelle catégorie le ranger : mutant, hybride, primate d'un genre spécial ? Apparemment, on le prendrait pour un chimpanzé, sauf qu'il a les oreilles plantées au sommet du crâne, et non au milieu, qu'il a aussi, comme un homme, le nez pro éminent, et qu'à l'inverse des grands singes qui prennent généralement appui sur les phalanges de leurs membres antérieurs pour se déplacer, il se tient droit en marchant...

La perplexité des chercheurs est totale, quand on découvre que l'animal possède 47 chromosomes, ce qui le place entre l'homme et le singe, qui en ont respectivement 46 et 48. Serait-il dont issu d'un croisement monstrueux entre représentants de deux espèces voisines, ou bien s'agirait-il d'un mongolien nouveau style ?

Le plus troublant, c'est qu'il n'a rien d'un attardé, Oliver. Non, il passe des heures entières à regarder les westerns et films d'action à la télévision, alors que le chimpanzé moyen décroche au bout de quelques minutes...

Tout le monde en est pantois, aussi bien les chasseurs de Sasquatch (le « Yéti » de légende, qui hante la mythologie indienne) que les anthropologues. « Si personne ne pense vraiment qu'il s'agisse d'un chimpanzé, on ne croit pas non plus avoir affaire à un " Bébé Grand Pied " (Big Foot – nom donné par les

Blancs au fameux Sasquatch) », conclut un zoologiste californien qui l'a examiné...

Reste que, de l'avis général, c'est une drôle de bête, Oliver...

L'Enfant Loup

En 1976, en Inde, un chef de village trouve dans une forêt du district de Sultampur, près de Lucknow, un enfant en train de jouer avec des louveteaux. Selon les informations communiquées ultérieurement par la Press Trust of India, l'agence de presse indienne, les ongles du petit garçon se sont carrément transformés en griffes. Hirsute et velu, on lui donne environ huit ans.

Comme il a l'air d'un petit ours, le chef de village lui donne d'abord le nom grotesque de Bhallo, changé ensuite en Bhaskar. Mais pour la plupart des gens, il reste l'enfant-loup, car il a sans nul doute grandi parmi les loups.

Malgré tous ses efforts, le chef du village ne parviendra pas à lui faire réintégrer la société des hommes. Finalement, on le placera chez les Missionnaires de la Charité, qui tiennent dans la ville de Lucknow, à 400 kilomètres de New Delhi, un hospice pour les pauvres et les miséreux, Premm Nivas, où il vivra jusqu'à sa mort, en 1985.

L'Extinction des dinosaures

Il y a deux millions d'années, lors du refroidissement général de la planète au début de l'ère glaciaire, les vastes prairies qui bordaient les frontières actuelles de l'Égypte, du Soudan et de la Libye se sont transformées en désert. Nos ancêtres de la Préhistoire furent sans doute les derniers témoins des grands fleuves, des vallées, des canaux de ruissellement et des plaines alluviales qui formaient jadis le paysage de la région. Depuis, toute vie y est pratiquement impossible, car il n'y pleut guère que tous les quarante ans.

Dès l'Antiquité, cependant, on va se lancer à la recherche de « Bahr-bela-ma », un gigantesque réseau fluvial censé courir sous les sables du Sahara. La légende des « grandes rivières sans eau » est ensuite restée vivace, sans que rien ne vienne l'étayer – du moins jusqu'en 1982.

A bord de la navette spatiale, les scientifiques qui effectuent des relevés topographiques observent sur leurs radars la présence d'un vaste système fluvial souterrain. D'après JohnMac Cauley, géologue travaillant pour le gouvernement et responsable de l'équipe, il ne semble pas qu'il y ait de lien entre ces vallées et celle du Nil, car les cours d'eau sont orientés à l'ouest et au sud. Il n'est pas impossible, par contre, qu'ils se jettent les uns dans les autres pour former tous ensemble un vaste bassin d'une superficie comparable à celle de la mer Caspienne...

Bébé Mammouth

Durant toute l'époque glaciaire, des hordes de mammouths sillonnaient l'actuelle Sibérie. Voici 40 000 ans, l'un d'eux, un bébé, qui faisait partie d'un troupeau itinérant, s'est enlisé dans le limon. La malheureuse « petite » bête a dû se débattre et lutter jusqu'à l'épuisement, avant d'être finalement happée par la couche sédimentaire. Du même coup, sa carcasse s'est trouvée protégée des divers carnassiers qui rodaient sur la toundra. Par la suite, les avalanches ont recouvert le site, où depuis il gêle en permanence...

La sépulture demeurera inviolée jusqu'en 1977, quand un bulldozer exhume un jour, dans la région de Magadan, un petit mammouth pris dans la glace, la pierraille et le limon... Le précieux animal est aussitôt placé dans une chambre froide, puis remis à des zoologistes enthousiastes, qui s'attachent d'abord à le peser, à le mesurer, et à le décrire. C'est en effet une découverte capitale : jusqu'alors on n'avait jamais trouvé de mammouth intact, explique Nicolas Vereschagrin, spécialiste de ces mastodontes, et directeur de recherches à l'Académie des sciences d'Union soviétique.

Désormais, on connaît beaucoup mieux l'apparence extérieure de l'animal, ainsi que la structure interne de son organisme. Inutile de dire que notre mammouth congelé sera disséqué et examiné sous toutes les coûtures; la science avance à ce prix. Qui sait, peut-être va-t-on enfin savoir pourquoi ces énormes pachydermes, si bien adaptés au climat glacial, ont subitement disparu...

Bikini

Bikini... Ce nom évoque d'abord un petit maillot de bain deux-pièces, et accessoirement l'atoll du Pacifique où se déroulèrent des essais nucléaires, entre 1946 et 1958. Leur homonymie repose sur leur commune étroitesse, l'îlot océanien faisant pour sa part moins de 10 kilomètres carrés...

Il n'en comptait pas moins jadis des habitants, très contents, ma foi, de vivre sur ce petit lopin de terre perdu au milieu de l'océan. Ils seront tous déplacés sur ordre des autorités américaines, ainsi que leurs homologues d'Eniwetok, au début des années cinquante, pour cause d'expériences atomiques...

En 1968, on les autorise à réintégrer leur île, et à reprendre leurs activités, axées principalement autour de la pêche et de l'agriculture. Hélas! poissons, fruits, et légumes sont radioactifs, et nos malheureux insulaires doivent reprendre le chemin de l'exil. Nettement plus grande, l'île d'Eniwetok sera quant à elle décontaminée, et l'on y plantera des cocotiers pour remplacer ceux qui ont été soufflés par les tirs nucléaires. Il reste toutefois interdit d'en consommer les noix...

Malgré leur déception, ces braves Polynésiens, solidement christianisés par des générations de missionnaires, feront d'eux-mêmes le rapprochement avec un autre jardin, plus ancien et plus délicieux encore, où poussait un fruit défendu...

La Cité engloutie

Jadis le « Saint-Tropez » de l'Empire romain, la ville de Baiae, s'étirait en bordure de la mer Tyrrhénienne. De luxueuses villas, construites à flanc de rocher, plongeaient dans l'eau bleue. C'est là, dans ce cadre splendide, que les patriciens, comme Cicéron, par exemple, venaient se reposer des fatigues de la capitale. L'empereur Auguste lui-même allait s'y délasser...

Au cours du IIe siècle de notre ère, on dresse une digue, pour protéger les habitations des violentes tempêtes qui balaient parfois la côte. Malheureusement, les tremblements de terre sont fréquents dans cette région, au pied du Vésuve, et un beau jour, Baiae tout entière glisse sous les flots...

Aujourd'hui, les majestueuses villas reposent, avec leurs trésors, au fond de la baie de Pozzuoli. Seuls les plongeurs ont le privilège d'accéder à l'ancienne station balnéaire. Pour remédier à cette situation, un archéologue allemand propose d'isoler le site sous une bulle en plastique, remplie d'air. On pourrait alors déambuler librement, et au sec, dans les rues de la cité engloutie...

Mortelle étreinte

La noce bat son plein, dans le petit village chinois. Impatients, les jeunes mariés quittent le bal et vont s'enfermer dans leur chambre. Ils tombent dans les bras l'un de l'autre, le mari couvre de baisers son épouse adorée; palpitante, elle s'accroche à lui...

On les cherche. Bientôt on entend un cri. On se précipite, et voilà qu'on les trouve tous les deux sans connaissance. Ils sont transportés d'urgence à l'hôpital, mais la malheureuse rend le dernier soupir en arrivant...

L'ardeur, l'ivresse des premières étreintes leur a porté au cœur. La mariée vient de succomber à un infarctus...

Disparu dans le Triangle des Bermudes

Pilote hors pair, Dick Yerex fera une brillante carrière chez Ford, au sein de la flotte aérienne privée du constructeur automobile. Il transportera des personnages aussi célèbres que Henry Ford lui-même, ou Lee Iacocca, son principal adjoint. Venue la retraite, il quittera le Michigan et sa maison de Gibraltar pour aller s'installer avec sa femme en Floride, à Palm Beach, où il reprendra du service auprès d'une petite compagnie locale...

Ce jour-là, il effectue une liaison de routine avec l'île d'Abaco, dans l'archipel des Bermudes. Son bimoteur Cessna est en parfait état, et il n'a jamais connu d'ennuis mécaniques. Le ciel est dégagé, il n'y a presque pas de vent. Bref, tout va pour le mieux – d'autant que Dick Yerex est, rappelons-le, un pilote chevronné...

Quarante minutes après le décollage, il signale par radio la position d'un ballon-sonde à un autre appareil présent dans les parages. On n'entendra plus jamais parler de lui. Aux dernières nouvelles, il se dirigeait droit vers le Triangle des Bermudes, cette zone de sinistre réputation, délimitée par une ligne imaginaire qui court entre la côte de Floride, à peu près à la hauteur de Melbourne, les îles Bermudes, Porto Rico, puis revient à son point de départ...

« La seule chose dont on soit sûr, déclare Ron Bird, un enquêteur du Traffic Safety Board, organisme chargé de veiller à la sécurité aérienne, c'est que l'avion a pris l'air. Après quoi, on se perd en conjectures... »

Toutes les recherches entreprises pour le retrouver demeureront vaines. Dick Yerex sera officiellement porté disparu, dans des conditions mystérieuses...

Le Manuscrit mystérieux

En 1912, un libraire britannique, Wilfrid Voybnich, acquiert en Italie, auprès d'un collège de jésuites, un manuscrit de 204 pages. Illustré de nombreux dessins en couleur, le mystérieux volume est écrit à la main, dans un alphabet inconnu. Wilfrid Voybnich en distribue des copies à tous ceux qui se proposent de le traduire.

Il faudra attendre près de dix ans pour qu'un professeur de l'université de Pennsylvanie, William Newbold, parvienne à le déchiffrer. D'après lui, il s'agirait d'un ouvrage de Roger Bacon, savant et philosophe anglais du Moyen Age, qui traiterait de la fabrication des lunettes astronomiques, dont il serait donc le véritable inventeur, quatre siècles avant Galilée...

Peu de temps après sa mort, le travail de William Newbold sera remis en question, sans que l'on propose rien de concluant à la place. Finalement, le précieux manuscrit sera légué à l'université de Yale, où l'on escompte bien découvrir, un jour, la clé de l'énigme...

Un yéti dans l'OVNI ?

Février 1974. Au petit matin, une dame de Pennsylvanie est réveillée par des bruits dans le jardin. Elle décroche son fusil, ouvre tout doucement la porte d'entrée, sort sous la véranda, et elle tombe sur... un Yéti ! Oui, une espèce d'homme-singe, mesurant dans les 2 mètres de haut, qui la regarde fixement en se grattant l'aisselle... Elle le met en joue, appuie sur la gachette, et l'intrus disparaît dans une gerbe de lumière !...

Alerté par la déflagration, son gendre se précipite. Il aperçoit deux autres créatures à l'orée du bois, ainsi qu'une lumière rouge, qui brille au-dessus de la maison...

Ce n'est pas la première fois que l'on signale en même temps un OVNI et des « Grands Pieds » (appelons-les ainsi, puisque c'est le nom qu'on leur donne aux États-Unis, où déjà, les plus anciennes légendes indiennes faisaient mention de « géants poilus » qui surgissent tout à coup dans le paysage). Toujours en Pennsylvanie, un soir de 1973, un jeune homme de la campagne, prénommé Stephen, est intrigué par une grosse boule rouge qui brille devant ses fenêtres. Il sort voir, flanqué de ses deux petits frères, et il remarque à la fois deux drôles d'humanoïdes, immenses, couverts de poils, avec des yeux verts phosphorescents... Les étranges créatures s'approchent. Effrayé, il lâche une salve en l'air. Elles continuent à s'avancer, et il fait feu à nouveau à trois reprises, touchant ce coup-ci la plus grande. L'OVNI disparaît en un éclair, et nos deux visiteurs s'enfoncent dans les bois...

Le Triangle des Bermudes

La Floride, les îles Bermudes et Porto Rico délimitent grosso modo une zone à haut risque, mieux connue sous le nom de « Triangle des Bermudes » et tristement célèbre pour avaler tout ce qui passe dans le coin. Oui, là s'exerce une mystérieuse énergie qui engloutit avions et bateaux.

Tout comme les zones sismiques, de tels périmètres à risques se déplacent, explique Hugh Cochrane auteur de *Gateway to Oblivion* (Passeport pour l'oubli). C'est en effet, nous dit-il, ce qui est en train de se produire dans le cas du Triangle des Bermudes : il glisse à l'ouest, vers les États-Unis. On doit par conséquent s'attendre, sinon à voir disparaître des automobilistes, du moins à une recrudescence d'accidents et de catastrophes aériennes en Floride...

Le pouvoir maléfique du Triangle des Bermudes

Ça vient d'en bas. Oui, c'est au fond que ça se passe. Il y a quelque chose qui attire tout ce qui se balade dans les parages. « Sans doute un champ de forces qui lorsque les conditions s'y prêtent, s'anime par intermittence, et rend les avions et les bateaux ingouvernables », explique Tom Gary, auteur de Adventures, of an Amator Psychic (les aventures d'un médium amateur).

Dans cette optique, se serait donc un flux d'ions qui, s'accompagnant de phénomènes électriques, donnerait naissance à un champ magnétique, lequel affolerait les instruments de bord des appareils circulant dans la région : boussoles, jauges, altimètres, jusqu'aux batteries, qu'on a vues se décharger...

Au voleur!

« Bien mal acquis ne profite jamais... » Un voleur à l'étalage en fera l'amère expérience. Il entre dans un magasin, essaie une veste de sport, et puis il se dirige discrètement vers la sortie. Mais, au moment de franchir la porte. Boum! le vêtement explose! On imagine l'embarras de ce monsieur, qui s'en sort avec plus de peur que de mal, mais qui aura un certain mal à expliquer à la police qu'il n'appartient à aucune organisation terroriste...

Une autre affaire de terrorisme, moins rocambolesque, quoique beaucoup plus sérieuse, met en scène des Croates, qui détournent un avion américain sur Paris, où ils sont finalement appréhendés. Les passagers sont rapatriés sur les États-Unis, et l'équipage ramène l'appareil quelques jours plus tard à Chicago. La bombe, toutefois, demeure introuvable. Pourtant, la police française l'avait bien confiée à l'équipage – après l'avoir, évidemment, désamorcée... Ce sont tout simplement les pilotes qui l'ont gardée, « en souvenir », expliquent-ils aux enquêteurs pantois...

Les archives du FBI regorgent d'anecdotes savoureuses. Les gens, semble-t-il, voleraient n'importe quoi – un camion chargé de boîtes de bière vides, un véhicule frigorifique transportant des abats, une benne pleine à ras bord de crottin de cheval... Citons aussi le cas de ce perroquet, doté d'un vocabulaire de 250 mots, et capable également d'aboyer comme un chien. Un animal aussi talentueux excitera la convoitise d'un voleur, qui le revendra ensuite à une famille d'honnêtes gens. Il se rendra tellement célèbre dans le quartier que la police finira par s'intéresser à l'affaire...

En règle générale, tout ce qui a une quelconque valeur marchande est susceptible d'être volé – 8 décilitres de sperme de taureau, par exemple. Dérobée dans un centre d'insémination artificielle du Wisconsin, tout près du Canada, la précieuse semence, estimée à 40 000 dollars américains, a dû certainement franchir la frontière, et tripler de prix au passage...

Mais la palme revient indiscutablement à ce monsieur, d'allure très digne, portant cravate et costume trois-pièces, qui, en sortant du travail, s'absorbe longuement dans la contemplation d'un gigantesque poulet en carton à la devanture d'un magasin. Soudain, il pousse un rugissement, ramasse un pavé, défonce la vitrine et part en courant avec le volatile. « Pour offrir à ma femme », explique-t-il aux policiers qui l'arrêtent sur le trottoir...

La Proie des flammes

Il semblerait que les phénomènes de combustion spontanée se produisent de préférence à huis clos, et en l'absence de témoins. La nuit de la mort de la comtesse Cornelia Di Bandi, une aristocrate italienne du XVIIIe siècle, par exemple, on voit sortir une fumée rousse de sa chambre. Une servante se précipite, et elle ne trouve qu'un tas de cendres au pied du lit. Seules restent intactes les jambes de Madame...

De même, aux États-Unis, un ouvrier soudeur chez Pontiac, qui tentait apparemment de se suicider à l'oxyde de carbone (enfermé dans sa voiture, au fond du garage, le moteur en marche), prend feu tout à coup. Personne, évidemment, n'a assisté à la scène...

C'est seulement en 1982, au dire des spécialistes, que l'on observe en direct un tel phénomène de combustion spontanée. Un automobiliste remarque un jour une dame qui traverse la rue. Elle est plutôt jolie. Il se retourne, et... il voit une boule de feu ! Elle brûle. Effrayé, il rentre chez lui tout raconter à sa femme. La police ne trouvera rien de suspect.

Que s'est-il passé ?

L'Étoile noire des Hopis

Les Hopis se distinguent des autres Indiens d'Amérique du Nord par l'ancienneté de leur culture. Dans leur mythologie, l'histoire de l'humanité se divise en quatre périodes, qui toutes s'achèvent sur un cataclysme – le soleil de l'Eau, le soleil de la Terre, le Soleil du Vent, le Soleil du Feu...

L'ère du Soleil du Feu touchera à son terme d'après eux, vers l'an 2000. Sa fin sera annoncée par l'arrivée d'une étoile noire – qui s'approche d'ores et déjà de nous – et par la floraison dans le désert d'une mystérieuse fleur bleue. Certaines informations recueillies auprès de tribus du Nouveau-Mexique font état de l'apparition d'une petite violette, inconnue jusqu'à ce jour...

Comptant pour leur part cinq Soleils, les Aztèques n'en pensaient pas moins avec les Hopis que le nôtre, le Soleil du Feu, sera le dernier...

Coïncidence poétique

Parce qu'ils se produisent à l'improviste, on a tendance à ne voir que de simples coïncidences dans les phénomènes de perception extra-sensorielle, tels que celui vécu au siècle dernier par l'épouse d'un certain F.S. Fuller, professeur de mathématiques à Trinity College, célèbre université catholique.

Une amie lui demande un jour si elle a quelque chose à lire sur le poète Ralph Wado Emerson. Elle répond que non, et elle n'y pense plus. Pourtant, la nuit suivante, elle rêvera qu'elle lui donne un livre, et l'amie en question rêvera à son tour qu'elle en reçoit un. Le lendemain matin, raconte notre mathématicien, sa femme se dirige subitement vers la bibliothèque. Elle attrape un exemplaire de la revue *Century Magazine*, et elle l'ouvre tout grand sur un article intitulé : « Lieux et demeures de Ralph Emerson »...

Calcinée de l'intérieur

La porte est bouillante. Les policiers l'enfoncent. Ils sont salués par une bouffée d'air chaud. Il est trop tard, hélas, pour sauver Mary Reeser, que l'on retrouve calcinée dans son fauteuil...

Le siège est brûlé jusqu'aux ressorts. Le plafond est noir de suie. Telle une vieille bûche éteinte, la dame s'est ratatinée en flambant. Habituellement, les os éclatent, le crâne explose... Et puis, le feu aurait dû normalement se propager à toute la maison. Mais non, seule la malheureuse a été touchée par les flammes. Rien d'autre n'a souffert, pas même les papiers posés sur la chaise au pied du lit...

Qu'est-ce qui a bien pu se passer ? Les spéculations vont bon train. Combustion spontanée de méthane à l'intérieur de l'organisme, meurtre au lance-flammes, ou bien action de la mystérieuse « boule de feu » prétendument aperçue dans les parages ? Il pourrait tout aussi bien s'agir d'un crime maquillé en incendie, l'assassin ayant préalablement brûlé le corps...

On s'en tiendra officiellement à la thèse de l'accident. Mary Reeser se serait endormie en fumant une cigarette, et elle serait morte brûlée vive durant son sommeil...

Les Russes et la parapsychologie

Les Soviétiques ont longtemps tenu secrètes leurs recherches en parapsychologie. Un physiologiste, Leonid Vassiliev, vient cependant d'annoncer qu'il est parvenu à transmettre des ordres par télépathie à des personnes préalablement placées sous hypnose. Il aurait même réussi à les hypnotiser par télépathie...

La première expérience concerne une femme paralysée – pour des raisons purement psychosomatiques, car elle ne présente pas de lésions organiques. Sous hypnose, elle n'a aucune peine à bouger le bras et la jambe gauches. Bientôt, il ne sera même plus besoin de l'endormir, la seule télépathie suffit.

Vassiliev répète la démonstration devant des collègues. Il bande les yeux du sujet et, avant de lui donner un ordre, il en communique la teneur à l'assistance, par le biais de petits cartons. Non seulement la dame s'exécute docilement, mais encore est-elle en mesure d'identifier la source du message...

Récemment, sous l'égide d'une commission d'experts, s'est tenue une session expérimentale, mettant en scène un journaliste, Karl Nicolaïev, et un biophysicien, Youri Kaminsky. Le premier se trouve en Sibérie, et le second à Moscou. Lors d'une séance, Karl Nicolaïev décrit avec exactitude les dix objets que Youri Kaminsky tient en main, et sur vingt cartes il en reconnaît douze...

Ces résultats sont confirmés par l'électroencéphalogramme pratiqué en même temps sur Karl Nicolaïev : dès qu'il perçoit quelque chose, les ondes se bousculent dans son cerveau...

On passe donc au stade suivant, c'est-à-dire à la transmission de messages proprement dits par télépathie : Youri Kaminsky imagine, par exemple, qu'il est en train de se battre avec son partenaire : le cerveau de Karl Nicolaïev émet alors des ondes de qualité différente, qui suivant la longueur de la scène de bagarre se traduisent par des points ou des tirets. Une mêlée confuse déclenche une intense activité cérébrale, et l'aiguille trace un tiret, tandis qu'un bref assaut s'inscrit sous la forme d'un point. C'est dès lors un jeu d'enfant que de communiquer en morse...

Les Vautours de Gettysburg

La bataille de Gettysburg sera l'un des plus sanglantes de la guerre de Sécession. 50 000 hommes au total y laisseront la vie. Après trois jours de combats acharnés, le sol est jonché de cadavres de soldats et de chevaux. Plum Run, le petit ruisseau qui traverse l'actuel parc national, charrie des flots de sang. Le festin des vautours, sentinelles de la mort, est avancé...

Depuis lors, ces oiseaux reviennent à date fixe tous les ans, explique Harold J. Greenles, professeur de zoologie dans la prestigieuse université polytechnique de Virginie (Virginia Polytech). Avec des étudiants de l'école polytechnique de Virginie et de l'université de Pennsylvanie, il étudie leur comportement, et notamment leurs habitudes migratoires, tout en relevant systématiquement dans les archives de l'époque tous les cas où l'on signale des vautours...

« Ils viennent nicher sur Little Round Top et sur Big Round Top, les deux collines où ont eu lieu les combats les plus féroces. Sans doute leurs ancêtres ont-ils d'abord dépecé les corps gisant dans la campagne, et sont-ils ensuite restés pour l'hiver, une fois leur sinistre besogne accomplie. Maintenant que le pli est pris, ils reviennent tous les ans », explique Harold J. Greenles. Est-ce donc le souvenir de cette terrible boucherie, synonyme pour eux d'un fabuleux régal, qui attire périodiquement un millier de charognards sur ce champ de bataille qui scella la victoire du Nord sur le Sud ?...

Télépathie en morse

Les phénomènes de télépathie sont d'autant plus difficiles à appréhender qu'ils se produisent en général à l'improviste. Douglas Dean, un électrochimiste passionné de parapsychologie, s'affirme, quant à lui, capable de les détecter avec certitude. Le cerveau, en effet, n'est pas irrigué de la même manière lorsqu'il reçoit un message personnel. Si, par exemple, quelqu'un se concentre sur la photo de votre mère, Douglas Dean se fait fort de déterminer l'instant précis où vous entrerez en communication avec cette personne, rien qu'en mesurant votre circulation sanguine...

A partir de ses enregistrements, notre ami, qui utilise à cet effet du matériel médical, va mettre au point une sorte de code, analogue au morse – un point pour une réponse indubitable, un tiret en cas de silence prolongé. Il lui sera dès lors possible d'envoyer des messages à distance. Il parviendra même un jour à communiquer par ce biais avec une personne se trouvant en Floride, soit à plus de 2 000 kilomètres...

Les Songes d'un ecclésiastique

Les doigts croisés sur le ventre, Canon Warburton, pasteur de son état, sommeille dans son fauteuil. Il rêve. Il voit son frère faire un faux pas, puis dégringoler dans l'escalier...

Il se réveille en sursaut. Son frère n'est pas encore rentré. Il est venu exprès de Londres pour le voir, mais le jeune homme lui a laissé un petit mot pour lui expliquer qu'il devait sortir...

A 1 heure du matin, l'oiseau regagne son nid. « J'ai bien failli me rompre le cou. En sortant de la salle de bal, je me suis pris le pied dans le tapis, et je me suis étalé de tout mon long dans l'escalier », annonce-t-il...

Aberrations gravitationnelles

Le principal centre spatial des Indes se trouve à Shrihanakota, dans le sud du pays. On le connaît surtout, hélas, parce que les lancements y échouent régulièrement. Le professeur Ram S. Srivastava a quant à lui sa petite idée sur la question. Il fait valoir, en effet, que « le pas de tir est construit en plein milieu de la plus vaste zone d'aberration gravitationnelle du monde ». S'il ne s'explique nullement les écarts considérables de gravitation observés à cet endroit, il n'en est pas moins persuadé que c'est à cause d'eux que les fusées dévient de leur course et retombent à l'aveuglette sur le sol.

Le Secret des pyramides

Le cinéma, avec des films tels que *Les Dix Commandements*, a reconstitué ces attelages de milliers d'esclaves, tirant d'énormes blocs rocheux découpés dans les carrières jusqu'au chantier de construction des grandes pyramides, tombeaux des pharaons. Mais est-ce bien ainsi que les choses se sont passées ? Un professeur de chimie de l'université Barry College, en Floride, penche quant à lui pour un autre scénario : les Égyptiens auraient au contraire eu recours à une espèce de ciment, obtenu en mélangeant une dizaine d'ingrédients, dont la chaux et les coquillages. Bien qu'on ne l'ait pas encore autorisé à effectuer les prélèvements indispensables pour vérifier son hypothèse, il se dit persuadé que ces blocs ont été coulés au fur et à mesure de l'édification des pyramides, ce qui explique qu'ils soient parfaitement ajustés...

Le phare d'Alexandrie

La plus grande tour de l'Antiquité fut sans aucun doute le phare d'Alexandrie, édifice gigantesque destiné à guider les navires qui entraient et sortaient du port de la cité hellénistique de l'Égypte ancienne. La nuit, on allumait un grand feu à son sommet, et le jour un miroir géant reflétait la lumière du soleil, portant dit-on jusqu'à 50 kilomètres. L'ensemble devait vraisemblablement mesurer entre 150 et 200 mètres de haut.

Pour permettre l'accès des soldats de la garnison et des membres de l'équipe technique, des chariots tirés par des ânes faisaient en permanence la navette entre la base et le sommet, sur des rampes qui zigzaguaient entre les étages, à la manière d'un ascenseur primitif.

Ce système ingénieux cessa de fonctionner au début du Moyen Age, après la prise de la ville par les Arabes. Le calife Al-Walid fit abattre en partie l'édifice, où il croyait caché un trésor. Le reste fut transformé en mosquée, avant d'être rasé par un tremblement de terre, et les ruines furent utilisées pour de nouvelles constructions.

Voilà maintenant une quarantaine d'années, des plongeurs découvrirent une vaste colonne de marbre reposant au fond de l'eau. Il s'agissait du doigt de l'une des immenses statues d'angle qui ornaient jadis le grand phare d'Alexandrie...

Aspirés par un OVNI

Au pays des kangourous, les Martiens font des blagues. Une dame, qui circule en voiture avec ses trois enfants sur une autoroute qui traverse le désert, voit soudain son véhicule quitter le sol!...

Un énorme engin brillant aspire l'automobile sur son passage. Pendant toute la durée de leur « vol », ils seront tous les quatre comme paralysés, et incapables de parler. L'OVNI les déposera un peu plus loin sur la chaussée, sans autre explication. Ils en seront quittes pour la peur, et pour un pneu crevé... Leur témoignage se trouve corroboré par celui des trois autres personnes qui voient, elles aussi, briller un objet lumineux dans le ciel du sud de l'Australie. « Du fait que ces gens se trouvaient à des centaines de kilomètres les uns des autres, on peut exclure *a priori* un canular », raisonne un policier de Ceduna, la ville la plus proche. D'ailleurs, souligne-t-il, la voiture était couverte de cendre, à l'intérieur comme à l'extérieur, et le toit était crevé...

L'Astronaute du XIXe siècle

Ce qui se produit ce jour-là, le 19 avril 1897, à Aurora, une petite localité agricole du Texas, est tellement extraordinaire que l'on en parle encore avec émotion dans le coin. Selon les informations parues à l'époque dans les journaux de Dallas et de Forth Worth, un engin spatial en forme de cigare, surgi du ciel, est venu s'écraser sur le domicile du juge Proctor, brisant au passage une fenêtre, une cuve, et ravageant un jardin d'agrément...

D'après un certain S.E. Hayden, négociant en coton, et correspondant de presse local, le corps du petit homme qui pilotait ce vaisseau s'est complètement démantibulé dans l'accident. « L'examen des restes a néanmoins permis de conclure qu'il ne s'agissait pas d'un Terrien », écrit-il dans un article consacré à l'événement. « Les hommes du village ont rassemblé les morceaux, et on lui a fait des funérailles religieuses », ajoute-t-il.

Toute indication ayant disparu depuis, on ignore désormais où se trouve sa tombe, ni ce qu'elle peut bien renfermer. On n'en continue pas moins à fouiller épisodiquement le cimetière, dans l'espoir de retrouver la dépouille du seul extraterrestre jamais enseveli sur notre bonne vieille Terre...

Un million de livres sterling pour un OVNI

En 1947, un pilote chevronné, Kenneth Arnold, aperçoit, au-dessus d'un massif montagneux de l'État de Washington, au nord-ouest des États-Unis, neuf objets circulaires, qui se déplacent à environ 200 km/h. Depuis lors, on a vu des milliers d'OVNIS, un peu partout dans le monde. Bien que l'on ait toujours remarqué, de temps à autre, d'étranges formes dans le ciel, le témoignage de Kenneth Arnold n'en apparaît pas moins comme le premier d'une longue liste, qui est loin d'être close...

Cela dit, si l'on a des tas de photos d'OVNIS, on n'a encore jamais pu, en revanche, en visiter aucun, et l'on doit se contenter d'analyser les traces qu'ils laissent sur le sol, pour y déceler la présence éventuelle de minéraux, de substances chimiques, voire de dessins géométriques, ou d'indications d'ordre mathématique...

Dans son édition de 1981, le *People Almanac* révèle que la société Cutty Sark, qui fabrique en Angleterre le whisky du même nom, offre une récompense d'un million de livres à quiconque capturera un « vaisseau spatial, ou tout autre engin... dont le musée des sciences de Londres attestera qu'il vient bien de l'espace ». Pour preuve de son sérieux, Cutty Sark a souscrit une assurance pour le montant de la somme...

Jusqu'alors, il ne s'est trouvé aucun candidat sérieux. Il y aurait peut-être pourtant une piste du côté de l'accident de soucoupe volante qui se serait produit au Nouveau-Mexique, dans la région de Socorro, le 2 juillet 1947 (voir *The Roswell Incident*, Ace

Books, 1988). Transportée tout d'abord à la base aérienne de Roswell, l'épave du vaisseau spatial est ensuite envoyée pour examens complémentaires à la base de Muroc, en Californie, avec les dépouilles des humanoïdes retrouvées à l'intérieur. Le président Eisenhower viendra lui-même la voir, dans le plus grand secret. On la retrouve plus tard à la base de Wright-Patterson, dans l'Ohio, et pour finir au quartier général de la CIA, à Langleyfield, en Virginie. On en conserverait également des morceaux à la base aérienne de Mac Dill, en Floride, et les photos seraient archivées à la base de Wright-Patterson...

L'ennui, c'est que tous les rapports sur l'affaire sont classés secrets, et que ce n'est sans doute pas encore cette fois que Cutty Sark décernera la récompense... A l'époque, pourtant, l'incident a fait grand bruit, et la presse a longuement interrogé les spécialistes de l'aviation civile et de l'armée de l'air...

Mais, vu l'avantage technologique considérable gagné à « désosser » une soucoupe volante, gageons que, s'il s'en est jamais écrasé une – ou plusieurs – sur terre, on n'est pas près de nous le dire – secret militaire oblige...

En attendant, Cutty Sark conserve un million de livres à la banque, et l'étiquette des célèbres bouteilles de whisky représente toujours un voilier, et non un OVNI...

Le Cratère géant du pôle Sud

Imaginez un trou de 250 kilomètres de diamètre... Un scientifique de l'université de l'Indiana, John Weihaupt, affirme qu'il s'en trouve un, caché non loin du pôle Sud, résultant de la chute de la plus grosse météorite jamais tombée sur notre planète.

« Nous avons maintenant la preuve, déclare-t-il, qu'il existe sur terre un cratère comparable en taille à ceux que l'on voit sur la lune. » Au nord de l'Antarctique, la glace, selon lui, recouvre un cratère d'environ 800 mètres de profondeur et 250 kilomètres de large, quatre fois plus important, donc, que les plus grands repérés auparavant...

Qu'est-ce qui a bien pu faire un trou pareil ? Une météorite géante, répond John Weihaupt. Pesant dans les 15 millions de tonnes, et mesurant de 3 à 5 kilomètres de large, elle s'est écrasée sur notre planète voici quelques six cent mille ou sept cent mille ans, à une vitesse de plus de 60 000 kilomètres à l'heure.

Mais si l'impact fut considérable, la Terre a cependant évité une catastrophe majeure. Les calculs montrent en effet, dit notre savant, que cela n'a pas suffi à infléchir l'axe de rotation du globe.

Pile antique

En 1936, un archéologue autrichien, Wilhem König, qui participe à une campagne de fouilles sur un ancien site de peuplement parthe au cœur de l'Iran, découvre un drôle d'objet... Il remonte à environ 250 avant J.-C., et pourtant il a tout l'air d'un appareil. On dirait même, en fait, qu'il s'agit d'une pile électrique...

C'est une sorte de tube, constitué de feuilles de cuivre soudées entre elles à l'aide d'un alliage de plomb et d'étain. Mesurant à peu près 2 centimètres et demi de large et 12 de haut, il est enchâssé dans un pot de terre cuite, et fermé à un bout par une capsule de cuivre, scellée à la poix, et à l'autre par un bouchon tout en poix, où est fichée une baguette de fer recouverte de cuivre. Suffirait-il, raisonne Wilhem König, d'y verser une solution acide (comme du vinaigre, du vin ou du jus de citron), ou bien un soluté alcalin (de l'eau de soude, par exemple), pour que l'ensemble se comporte comme une pile galvanique...

Deux expériences – l'une menée aux États-Unis, et l'autre plus récemment en Allemagne, sous la direction de l'égyptologue Arne Eggesbrecht, du musée Hildesheimer – effectuées avec une copie de l'original (lequel se trouve en Irak, au musée de Bagdad) démontreront que l'on peut effectivement produire de l'électricité à l'aide de ce dispositif. Si l'on emploie une solution de sulfate de cuivre, la pile conçue par ces nomades soi-disant barbares de l'Antiquité dégagera même un courant de 5 volts...

Il se pourrait bien que les Égyptiens aussi soient parvenus à fabriquer de l'électricité. Quantité de monuments construits du temps des pharaons renferment des couloirs et des pièces totalement aveugles. Or, nous dit un professeur du musée d'histoire de l'art de Vienne, Helmut Saltzinger, on n'y a jamais trouvé la moindre trace de fumée de torche, de bougie ou de lampe à huile. Les gens qui ont bâti ces majestueux édifices se seraient-ils, par hasard, éclairés à la lumière électrique ?

La réponse à cette question se trouve peut-être dans le temple de Dendera, qui se dresse au bord du Nil, en face de la ville de Kena. On y voit à l'intérieur, sur les murs, d'étranges sculptures, représentant des gens, à côté de ce qui ressemble à s'y méprendre à d'énormes ampoules électriques remplies de serpents – les filaments ? Peut-être n'est-ce pas non plus une coïncidence si Troth, le dieu de la Connaissance, est présent lui aussi, éclairant les ténèbres de sa lampe...

Les parois sont également recouvertes d'illustrations diverses et de hiéroglyphes que l'on n'est pas encore parvenu à déchiffrer complètement. Pour John Harris, de l'université d'Oxford, il s'agit de toute évidence de notations techniques, indiquant comment produire de l'électricité. C'est aussi l'avis d'un savant autrichien, au départ ingénieur, Walter Garn... D'après lui, les « serpents » à l'intérieur des simili-ampoules sont en fait des arcs électriques, les personnages agenouillés face à face en dessous symbolisant quant à eux l'opposition des courants. De même, la colonne striée qui soutient l'« ampoule » ressemble-t-elle étrangement à un isolateur...

L'Étoile de la mort

C'est en essayant de dater les principaux cratères d'impact relevés sur terre que des chercheurs de l'université de Californie ont découvert que ceux-ci se formaient à date fixe. Tout indique en effet que ces cratères, provoqués par la chute de météorites sur notre planète, apparaissent tous les 28 millions d'années – ce qui cadre parfaitement avec les vagues d'extinction massives constatées dans le règne animal...

Pour quelle raison des comètes viennent-elles, à intervalles réguliers, s'écraser sur la terre ? Parce qu'elle croise alors l'orbite d'une mystérieuse « étoile de la mort », qui nous amène dans son sillage de la « poussière spatiale », les fameuses comètes, lesquelles causent des ravages considérables sur le globe, répondent ces scientifiques.

Pour Richard Muller, son collègue *per hut* de l'université de Princeton, il doit s'agir d'une étoile naine et froide décrivant une orbite elliptique qui l'éloigne périodiquement du soleil. Lorsqu'elle s'en trouve à 2 millions d'années-lumière, elle rencontre une nébuleuse, formée de milliards de comètes. En sortant du nuage, elle en entraîne toute une kyrielle dans son sillage, qu'elle sèmera ensuite en cours de route, sur la terre, par exemple, lorsqu'elle passe dans les parages, tous les 28 millions d'années...

« La terre n'étant qu'un point à l'échelon du cosmos, elle ne doit pas en récolter plus d'une vingtaine à la fois », déclare Richard Muller. « Seulement, précise-t-il, elles arrivent presque toutes en même temps. »

En venant s'écraser sur terre, ces comètes provoqueraient un gigantesque nuage de poussière qui ferait écran à la lumière du soleil, et empêcherait donc la photosynthèse. Cela expliquerait la disparition brutale des dinosaures, voilà 65 millions d'années, après un règne d'une centaine de millions d'années sur la terre : des vents de poussière ont plongé pendant des mois la planète dans l'obscurité et le froid; des animaux n'ont pas supporté le changement de climat, ou bien ils sont morts d'inanition.

On a tout lieu de craindre, hélas, que cette « étoile de la mort » ne revienne un jour nous rendre visite. Pas de panique, cependant. Elle ne sera pas de retour avant 15 millions d'années...

Les Grecs et le rayon de la mort

C'est vers 214 avant J.-C. qu'Archimède, l'inventeur et le mathématicien grec, conçoit, dit-on, un dispositif original pour détruire la flotte romaine qui menace le port de Syracuse. Il la brûle, en utilisant l'énergie solaire...

Il aurait en effet installé sur le rivage un gigantesque miroir concave, dont la surface réfléchissait en les amplifiant les rayons du soleil. Il suffisait alors de le diriger vers les navires ennemis pour que ceux-ci s'enflamment au bout de quelques secondes...

Légende, ou histoire vraie ? Pour tenter de répondre à cette question, un ingénieur grec, Iannis Sarkas, va renouveler l'expérience en 1973. Partant du principe qu'Archimède, en guise de miroir, a sans doute eu recours à une muraille de boucliers plaqués de bronze, il fait aligner sur la grève soixante-dix hommes ainsi équipés. Ces derniers prennent pour cible un bateau en contre-plaqué voguant à une cinquantaine de mètres du rivage. En l'espace de quelques minutes, le navire est en feu.

Notons que la tâche d'Archimède a dû être facilitée par le fait que les navires romains étaient construits avec des matériaux hautement inflammables, et aussi parce que ses hommes étaient vraisemblablement postés en hauteur, et non au niveau de la mer. « Toutes les conditions étaient donc réunies pour produire l'effet le plus dévastateur possible », conclut Iannis Sarkas.

Les Grecs et le rayon de la mort

Les Aérostiers de la cordillère des Andes

Il faut attendre la fin du XVIIIe siècle pour voir, dit-on, les premières ascensions en ballon, dans les fameuses montgolfières. Et pourtant, tout indique que bien longtemps auparavant, et à l'autre bout du monde, des Indiens, vivant dans la vallée de Nazca, au Pérou, étaient des aérostiers confirmés, ce qui expliquerait qu'ils aient tracé de gigantesques motifs abstraits, s'étendant sur des kilomètres, et visibles seulement d'en haut...

Autrement dit, le travail des ouvriers qui traçaient ces entrelacs démesurés devait être supervisé par des « artistes » installés en hauteur, dans des nacelles de ballon... A l'International Explorers Society, une association d'explorateurs dont le siège se trouve en Floride, on en est persuadé, et l'on s'attache dès 1975 à en fournir la preuve.

Il ne s'agit pas, en effet, d'une supposition gratuite, mais d'une déduction logique, à partir d'éléments solides. Tout d'abord, on a exhumé, sur le site d'un ancien village nazca, un vase, en céramique, dont la décoration représente un sac ouvert, suspendu audessus d'un feu. D'autre part, il ressort de l'analyse des lambeaux de tissu retrouvés dans les tombes azcas que certaines toiles utilisées à l'époque pouvaient très bien, le cas échéant, servir à fabriquer des enveloppes de ballon... Enfin, il y a l'histoire de ce manuscrit, qui dormait dans une bibliothèque au Portugal. Il raconte le passage à Lisbonne, en 1709, d'un jésuite du Brésil, Batholomeu de Gusamo.

Il présente tout simplement à la cour un ballon

modèle réduit, copié sur ceux des Indiens : soit une sorte de poche en toile, reliée par des ficelles à un petit pot en terre cuite. Il suffit de verser des braises dans ce réceptacle pour que se crée un appel d'air et que l'enveloppe se gonfle, puis que l'ensemble s'élève doucement... Rappelons que ce n'est qu'en 1782 que les frères Montgolfier effectuent leur première ascension en aérostat...

L'idée est donc de répéter l'expérience, en construisant un ballon grandeur nature, ressemblant le plus fidèlement possible à ceux des Nazcas. C'est ainsi que va naître « Condor », un drôle d'engin, constitué d'une nacelle-bateau en osier tressé, pareille aux barques du lac Titicaca, et d'une enveloppe, coupée dans une toile analogue à celle retrouvée sur place par les archéologues.

Dès son premier vol, Condor monte à 200 mètres. Mais un coup de vent le rabat violemment sur le sol. Au cours de la seconde tentative, il atteint l'altitude de 400 mètres, et il parcourt près de 5 kilomètres, avant de se poser en douceur sur la lande.

Pour Michael Debakey, responsable de toute l'opération, et président de l'International Explorers Society, preuve est faite désormais que les Nazcas, obéissant à des impératifs d'ordre culturel – le tracé de ces immenses dessins sur le sol –, ont été les inventeurs des ballons...

Langage animal

On sait depuis longtemps que les animaux communiquent entre eux. Ils se servent de sons, de gestes, peut-être instinctifs, pour chasser en meute ou pour s'avertir d'un danger. Récemment, on a découvert que dans certains cas ils peuvent aussi discuter avec un être humain, pour peu qu'on le leur apprenne. Coco, par exemple, le fameux gorille qui répond à toute une série de mots et qui est même capable de construire des phrases en utilisant le langage gestuel...

Cela dit, on en vient carrément à se demander si des singes en bande ne seraient pas capables de se parler à leur manière, quand survient un malheur, ou lorsqu'il s'agit d'organiser une expédition punitive...

Un affreux garnement, un jour, lapide à mort un bébé singe au jardin botanique de Penang, en Malaisie. Une soixantaine de ces sympathiques animaux se mettent alors à attaquer les visiteurs et les passants. « Il en est arrivé toute une bande », raconte ce témoin venu faire son jogging. « Nous avons d'abord cru qu'ils venaient mendier de la nourriture, et nous avons essayé de les chasser. Mais quand ils se sont rués vers nous, nous avons détalé sans demander notre reste. »

Le plus remarquable, dans cet exemple de confrontation hommes-singes, c'est que ceux-ci ne s'en sont pris qu'aux personnes habillées en jaune, c'est-à-dire comme le petit vaurien qui venait de tuer un de leurs enfants...

Mule féconde

Tout le monde sait que mules et mulets, issus du croisement d'un âne et d'une jument, sont incapables de se reproduire. Mais apparemment une mule, nommée Krause, n'était pas au courant...

Ses maîtres, Bill et Oneta Silvester, de Champion, dans le Nevada, remarquent qu'elle grossit. « Mais comme sa mère est un poney du pays de Galles et que ces bêtes-là sont voraces, nous avons d'abord tout simplement pensé qu'elle prenait du poids », raconte Oneta Silvester. Imaginez alors sa tête et celle de son mari lorsque notre animal de mule donne naissance à un petit...

Certes, ce n'est pas la première fois, remarque un biologiste de l'institut de zoologie de San Diego, Oliver Ryder, que l'on signale une mule qui met bas. Mais vérification faite, dit-il, cela s'avère toujours une information erronée, « que la mule soi-disant féconde ne soit qu'une jument d'apparence trompeuse, ou qu'il s'agisse au contraire d'une vraie mule qui a adopté un ânon ou un poulain »...

Dans le cas de Krause, cependant, l'analyse génétique pratiquée sur elle et son petit, baptisé « Blue Moon », établira entre eux une parenté indiscutable...

« Jusqu'à plus ample informé, explique Oliver Ryder, les mules et les mulets (les petits mulets, ou bardots, nés d'un âne et d'une jument, car il en va différemment des grands, conçus par un cheval et une ânesse) sont toujours inféconds. Les chevaux ont 64 chromosomes et les ânes 62. La mule, de son côté, en a 63, et ça lui convient tout à fait ; simplement, elle ne fabrique pas de cellules reproductrices... »

Par quel prodige Krause a-t-elle réussi cet exploit jugé impossible par la science, donner naissance à un petit ? Oliver Ryder n'en a pas la moindre idée. Il constate seulement que c'est le seul cas de « mule féconde » jamais authentifié...

L'Homme de Néanderthal aujourd'hui

Voilà des milliers d'années, dit-on, que l'homme de Néanderthal a disparu. Est-ce bien si sûr ? En se fondant sur une multitude de témoignages oculaires, une archéologue britannique, de l'université de Leicester, Myra Shackley, affirme qu'il subsiste toujours une petite colonie d'hommes de Néanderthal, cachés dans des grottes, au cœur des montagnes de Mongolie-Extérieure. Là-bas, dans cette région désertique qui fait tampon entre la Chine et l'URSS, on les appelle « Almas »...

D'après Myra Shackley, dont l'enquête paraît dans la prestigieuse revue d'archéologie *Antiquity*, « c'est faire preuve, au regard de la biologie, d'une présomption complètement dépassée que de croire que l'homme actuel est le seul hominidé survivant sur terre. L'existence des Almas semble ne faire, à cet égard, aucun doute ».

Des gens tout à fait honorables, y compris des scientifiques, déclarent en effet avoir aperçu ces fameux hommes de Néanderthal. Shackley elle-même, lors d'une campagne de fouilles en Mongolie-Extérieure, découvrira des indices de la présence éventuelle d'Almas dans la région : des outils en pierre taillée, analogues à ceux dont se servaient les hommes de Néanderthal. Pour en avoir le cœur net, notre amie entreprend alors un périple à la lisière des monts de l'Altaï et du désert de Gobi. Elle interroge les bergers et leur montre les objets en question. On lui répond invariablement qu'« ils ont été fabriqués par des gens qui habitaient là autrefois ». Ils se seraient retirés dans la montage, où ils logeraient dans des cavernes et vivraient de chasse...

On s'étonnera d'ailleurs qu'elle s'intéresse tant aux Almas. « Là-bas, en Mongolie, ils font partie du paysage », conclut-elle.

Personnalité foudroyante

Vous avez peur de la foudre ? Mieux vaut alors éviter Betty Jo Hudson, de Windburn, dans le Mississippi, car on dirait qu'elle l'attire...

Tout commence dans son enfance, lorsqu'elle est brûlée à la tête et au visage par un éclair. Par la suite, la maison de ses parents sera régulièrement frappée par la foudre, et même carrément détruite en 1957...

Ces dernières années, Betty Jo et Ernest, son mari, verront la foudre tomber un peu partout autour de chez eux, dans leur petit village de Windburn Chapel. Leur domicile lui-même va être touché à trois reprises, et celui d'un voisin endommagé. Leur chien sera foudroyé un arbre et une pompe détruits, et le jardin défiguré...

Jusqu'à présent, Betty ne s'en est elle-même pas trop mal sortie, mais l'alerte a parfois été chaude. Un jour, par exemple, durant l'été, elle est en train d'écosser sur la véranda des haricots jaunes avec son mari. Soudain, le ciel se couvre, et la tempête se lève. Ils se réfugient dans leur chambre. Deux minutes après, la foudre tombe dans la pièce à côté. « Il nous aurait suffi d'être là pour y passer », philosophe Betty Jo Hudson.

L'OVNI inaperçu

Dave et Hannah MacRoberts circulent en voiture sur l'île de Vancouver, rattachée à la Colombie britannique. Vers midi, ils s'arrêtent sur une aire de repos, Eve River Rest. Au loin, à l'horizon, se découpe un pic escarpé, surmonté d'un petit nuage blanc. Une photo de rêve... Hannah attrape son appareil.

Elle ne prendra qu'un seul cliché. Quelque temps après, en octobre 1981, elle fait développer la pellicule. La montagne est là, splendide et majestueuse, mais aussi une drôle de chose, qu'ils n'avaient pas remarquée à l'époque : un disque argenté, qui plane dans le ciel...

Les MacRoberts prendront aussitôt contact avec le ministère de la Défense, mais les militaires feront la sourde oreille. Leurs amis et leurs voisins, par contre, seront littéralement fascinés par cette photo, dont ils vont réclamer des copies...

L'une d'entre elles atterrira entre les mains d'un psychologue de Pasadena, Richard Haynes, président du Comité nord-américain de recherches sur les OVNIS (North American UFO Federation). Il ira chez les Roberts, à Campbell River. Il examinera et essaiera leur appareil, il se rendra sur les lieux où la photo a été prise...

En juillet 1984, lors d'un congrès sur les OVNIS patronné par l'université du Wyoming, il se déclarera convaincu, après avoir mené son enquête personnelle et analysé ce cliché par ordinateur, que l'objet visible au-dessus de la montagne était bien réel...

Sur les agrandissements, on voit un dôme au centre

du disque. Mais on n'est pas plus fixé. Quelle est cette mystérieuse chose que Hannah Roberts a photographiée sans s'en apercevoir ? « On n'a toujours pas réussi à l'identifier », répond Richard Haynes...

Dissociation salutaire

Les expériences de décorporation, ou d'évasion hors du corps, connaissent actuellement un regain d'intérêt. Un psychiatre, Fowler Jones, nous livre le fruit d'une enquête menée, en collaboration avec trois de ses confrères de l'université du Kansas, auprès de 400 personnes, toutes choisies au hasard, aux États-Unis, au Canada et au Mexique. Dans leur immense majorité, ces gens déclarent avoir voyagé au moins une fois en dehors de leur corps – certains disent même l'avoir fait à des centaines de reprises...

Fowler Jones souligne qu'il s'agit de personnes sensées et équilibrées, pour la plupart croyantes, ce qui élimine d'emblée l'hypothèse d'une hallucination, provoquée par l'alcool, la drogue, ou les troubles mentaux...

Premier constat : dans l'ensemble, on garde de ces expériences un souvenir agréable, et très marquant. « Les récits varient de l'un à l'autre, mais tous ceux à qui c'est arrivé s'accordent à dire que l'esprit, le " Je ", ce qui en nous pense et ressent, a quitté son enveloppe corporelle pour aller se fixer ailleurs », explique Fowler Jones, qui précise que c'est un peu comme si la conscience avait franchi une autre dimension...

Libéré de la chair, l'esprit évolue librement dans le temps, passé comme futur. Il est dès lors possible d'anticiper l'avenir, et d'infléchir, si besoin est, le cours du destin. Fowler Jones cite à ce propos le cas de ce monsieur, à qui une expérience de ce genre a sauvé la vie. Lorsque s'est opérée la dissociation, il s'est retrouvé – en esprit – dans une pièce où des collègues à lui étaient tout bonnement en train de préparer son assassinat ! A son « retour », il s'en ira demander des explications à une dame impliquée dans le complot. Elle sera tellement effrayée qu'elle avouera tout sur-le-champ...

OVNI espiègle

Été 1979. Deux jeunes en voiture voient soudain défiler au-dessus d'eux des lumières bizarres. Ils se retrouvent aussitôt plaqués sur leur siège. Lorsqu'ils reprendront ensuite la route, leur voiture s'emballera et elle ne répondra plus aux commandes...

Quinze jours plus tard, un agent de police du Minnesota aperçoit tout à coup une étrange lueur dans le ciel. Chassé par une force invisible, son véhicule fait alors de terribles embardées. Il perd connaissance. Quand il revient à lui, le pare-brise est en miettes, l'antenne radio tordue, et la montre du tableau de bord a pris quatorze minutes de retard...

Selon les spécialistes de Centre de recherche sur les OVNIS (Center for UFO Studies) d'Evanston, dans l'Illinois, il ne s'agit nullement d'incidents isolés. On signale en effet quelque 440 cas où des OVNIS ont sinon provoqué, du moins failli causer des accidents de la circulation. L'apparition d'OVNIS déclencherait ainsi des épisodes « électrochimiques », qui feraient caler les moteurs et détraqueraient les appareils radio...

Les scientifiques sont généralement à court d'explications, note Mark Rodenghier, un astrophysicien qui s'est penché sur la question. Exemple : les ingénieurs qui examineront la Ford LTD conduite par l'agent de police déclareront que rien, en l'état actuel de nos connaissances, ne permet de comprendre ce qui lui est arrivé...

Elvis est de retour!

Décembre 1980, sur la route de Memphis... Un routier fonce dans la nuit. Il lui reste encore 150 kilomètres avant d'arriver à bon port. Tout à coup, une lueur s'allume dans les bois environnants. Un homme passe devant en courant et se précipite vers la chaussée. Notre chauffeur s'arrête pour le prendre. Sa tête lui dit tout de suite quelque chose, mais dans l'obscurité il distingue mal ses traits. Ce n'est qu'en arrivant à Memphis qu'il découvre, à la faveur des éclairages, que son passsager – stupeur – n'est autre... qu'Elvis Presley, disparu voilà trois ans!

Si l'on en croit un pychiatre, Raymond Moody, cela n'a rien d'exceptionnel. Dans son livre : *Elvis After Life*, Peachtree Publishers (La Seconde Vie d'Elvis), il explique que depuis sa mort on aperçoit régulièrement le fantôme du « King » dans la région. « Un psychothérapeute, qui a connu Elvis Presley tout jeune, affirme que celui-ci est venu un jour le voir pour lui parler de la vanité des choses de ce monde », raconte Raymond Moody, qui cite également l'histoire de cette dame en train d'accoucher, à qui Elvis Presley est apparu pour lui remonter le moral...

Elvis, d'ailleurs, ne se contente pas de jouer les revenants. L'un de ses « fans », par exemple, fera un rêve prémonitoire. Elvis s'approche et lui dit : « C'est mon dernier concert. » Le lendemain, on apprend la mort d'Elvis Presley... Un autre soutient, quant à lui, que la manche d'une veste ayant jadis appartenu à son idole remue toute seule...

Oies en chute libre

Un vol majestueux d'oies sauvages passe au-dessus du comté de Norfolk, un matin de janvier 1978. Brusquement, le spectacle vire à la tragédie : les oiseaux tombent comme des pierres ! On dénombrera 136 cadavres éparpillés sur plus de 45 kilomètres. Il en dégringolera 105 de plus autour de Wicken Farm et de Castleacre, et d'autres encore ailleurs, par grappes de 2 à 14...

Pour quelle raison ces oiseaux se sont-ils soudain abattus sur le sol ? On ne peut pas incriminer les chasseurs, car on ne retrouve aucune trace de projectile sur les spécimens examinés. Les analyses permettent également d'établir qu'ils n'ont pas non plus été victimes de la foudre, mais bien plutôt d'hémorragies pulmonaires, voire, dans certains cas, d'un éclatement du foie...

On suppose donc que ces infortunés migrateurs ont rencontré un front froid, et qu'ils ont été aspirés dans les tourbillons, bien au-dessus de leur plafond habituel. A cette altitude, la pression aura fait éclater leurs poumons, et ils seront tombés en chute libre sur le sol...

Toiles flottantes

Il suffit d'avoir vu *Le Magicien d'Oz* pour savoir qu'une tornade peut tout emmener sur son passage. Tempête ou tourbillon, les dégâts sont considérables; mais on a aussi parfois des surprises...

Déjà, de simples coups de vent peuvent semer de la paille sur les fils électriques. Des courants ascendants parfaitement normaux sont capables pour leur part de transporter des toiles d'araignée sur des kilomètres. Charles Darwin lui-même assiste, depuis le *Beagle*, à un tel déluge, à une centaine de kilomètres de la côte. Une fois qu'ils accosteront, des tas d'araignées tisseront leur toile, puis elles s'en iront tenter leur chance ailleurs...

On sait maintenant que certaines variétés d'araignées se servent à l'occasion de leurs toiles comme de tapis volants pour se déplacer. On assiste alors à de véritables avalanches de toiles d'araignée, comme à Milwaukee, par exemple, ou bien un peu plus loin à Green Bay – là, elle mesurent près de 20 mètres, et elles masquent le lac Michigan. Mais dans un cas comme dans l'autre, on ne trouvera pas la moindre araignée...

La Manne céleste

Durant l'Exode, les juifs qui fuyaient l'Égypte ont survécu grâce à la manne tombée du ciel, dit-on dans la Bible. On discute toujours chez les savants de la nature et de l'origine de cette nourriture providentielle.

Dans un passé plus récent, on signale à plusieurs occasions de telles « pluies de manne » : en 1890, par exemple, sur un périmètre d'une dizaine de kilomètres, le sol de cette région de Turquie est jonché de petites boules, jaunes à l'extérieur et blanches à l'intérieur. Les analyses montreront qu'il s'agit d'une sorte de lichen du désert, mélange d'algues et de champignons, qui pousse sur les roches et les galets. Certains n'ont pas manqué d'y voir la nourriture.

Cette fameuse « manne » peut du reste avoir des origines diverses. Une campagne de recherches organisée en 1927 par l'université hébraïque de Jérusalem permettra d'établir que c'est un phénomène répandu dans le monde entier. Le plus souvent, cette manne provient d'une plante appelée *Tamarix nilotica*, qui sécrète un suc incolore et doucereux, dont se nourrissent insectes et pucerons. Vu l'aridité du climat, cette résine se cristallise sous forme de graines blanchâtres, accrochées aux arbres ou tombées à terre...

L'Armada disparue

On continue de s'interroger sur la présence de mots grecs dans la bouche des Indiens d'Amérique comme dans celle des Polynésiens. Les premiers Blancs qui débarquèrent dans le Delaware et dans le Maryland tombèrent sur le « Potomac », un fleuve dont le nom ressemblait étrangement à « potomos », mot grec pour rivière...

Quant aux pyramides aztèques, où l'on procédait à des sacrifices humains – les prêtres arrachaient le cœur des victimes et jetaient leur corps au pied des marches –, elles étaient connues sous le nom de « Teocalli », combinaison de deux termes grecs, « Théon » et « Kaias », signifiant « la demeure des dieux », exactement comme chez les Indiens...

S'il est déjà possible que des navigateurs d'origines diverses aient jadis atteint l'Amérique, c'est toutefois chez les Polynésiens que l'on trouve le plus de similitudes avec le grec. Exemple :

	Hawaïen	*Grec ancien*
penser	aeto	aetos
cenir/arriver	hiki	hikano
penser/apprendre	manao	manthano
chant/mélodie	mele	melodia
réflexion/intelligence	noo-noo	nous

D'où proviennent ces mots grecs ? Des casques grecs, en fer et en crin, que les Polynésiens auraient reproduits en bois et en plumes ? Mais où les auraient-ils trouvés ? Faut-il alors supposer que les Grecs aient traversé l'Atlantique – mille huit cents ans avant Christophe Colomb, et ensuite le Pacifique ?

C'est ici qu'intervient Alexandre le Grand, le légendaire conquérant de l'Antiquité. Après s'être emparé de l'Empire perse, il continue sa route à l'est, vers les Indes, et au nord, dans des régions actuellement situées en URSS. Simultanément, une armada de 800 navires, sous les ordres de l'amiral Nearchos, pousse une reconnaissance le long des côtes de l'Inde. Pour la plupart, ces bateaux reviendront en 314 avant J.-C. chercher à l'entrée du golf Persique les troupes harassées et récalcitrantes.

Mais on ne reverra jamais les autres. Auraient-ils par hasard contourné les Indes, puis longé la côte jusqu'en Malaisie, avant de gagner le Pacifique et de dériver au gré des vents et des courants ? Auquel cas il est possible qu'ils aient abordé des îles perdues au milieu de l'océan, telles que Hawaï ou Tahiti. La vie y est douce, les filles jolies ; avec leurs épées, leurs lances et leurs armures, on a dû alors les traiter comme des dieux...

Les Poils de la terre

Une terrible secousse ébranle toute la partie orientale du Siam. Les rivières frémissent, des chapelets de bulles viennent crever à la surface. La terre s'ouvre... et laisse sortir un peu partout des cheveux! Des espèces de poils drus se dressent au milieu des champs. Quand on les brûle, l'odeur rappelle celle des cheveux roussis... A l'époque, on évoque l'action de mystérieux courants électriques. Par la suite, on songe à une brusque poussée de goudron à la surface, qui aurait jailli par les « pores » de la terre, et qui se serait ensuite solidifié à l'air, sous l'aspect de tiges filiformes...

Quoi qu'il en soit, ce n'est pas la première fois que l'on assiste à ce curieux phénomène. Cela fait des milliers d'années que l'on voit, en Chine, le sol se hérisser de poils noirâtres après les séismes. D'après la légende, ce seraient ceux d'un animal vivant sous terre, et qui de temps à autre remue...

Prévoir les séismes ?

Trois semaines durant, des vapeurs de soufre recouvrent les Moluques. Puis, le 1er novembre 1835, survient un violent tremblement de terre, qui ébranle tout l'archipel...

On sait pertinemment que les secousses sismiques s'accompagnent, dans certains cas, de rejets sulfureux, mélangés entre autres au sable et à l'eau. Les gaz accumulés sous l'écorce terrestre se libèrent soudainement, provoquant des dégagements de radon dans les mines ou les sources d'eau chaude. De même, après le violent séisme qui a ravagé la région de Matsuhiro, au Japon, on détecte d'importantes concentrations de radon le long de la ligne de faille...

En 1978, dans un article paru dans la célèbre revue britannique *Nature*, un savant d'Allemagne de l'Ouest, Helmut Tributsch, suppose que les gaz qui s'échappent du sol avant une secousse tellurique sont chargés d'électricité, au point de former de véritables « nuages d'ions ». Cela expliquerait la nervosité des animaux, les troubles ressentis par les hommes, et les curieux phénomènes météorologiques observés avant les grands tremblements de terre...

De fait, on ne compte plus les cas où les animaux, par leur comportement étrange, ont annoncé la cata strophe. Durant les cinq jours qui précèdent la destruction de Helike par un séisme, en 373 avant J.-C., on voit les souris, les belettes, les serpents, etc., s'enfuir en masse de leurs terriers...

Alors même que nous n'avons rien remarqué, les oiseaux, les poissons, les mammifères sentent qu'il se prépare quelque chose. Les vaches se campent sur leurs membres antérieurs, les moutons bêlent continuellement, les chiens aboient, les loups hurlent à la mort, et les chats courent en tous sens...

Dans les années 30, les Japonais ont découvert que le poisson-chat montre des signes d'agitation plus de six heures avant que les sismographes ne détectent la moindre secousse. D'un naturel placide, cet animal ne réagit pas d'ordinaire lorsque l'on frappe sur son aquarium ou sur la table où il est posé. Si, par contre, il y a un tremblement de terre en perspective, il va se mettre à frétiller et à sauter dans son bocal...

Traditionnellement, on explique cet étrange phénomène par la perception de bruits inaudibles pour l'homme, ou par des perturbations du champ magnétique. Désormais, grâce à Helmut Tributsch, il faut également prendre en compte l'ionisation de l'air...

Mur d'eau

12 avril 1966. Un bateau italien, le *Michelangelo*, en route pour l'Amérique, croise à environ 1 000 kilomètres au sud-est de Terre-Neuve. La mer est grosse, avec des creux de 8 à 10 mètres. Par mesure de prudence, le capitaine a réduit la vitesse. Consciencieusement, le navire laboure les flots... D'un seul coup, un véritable mur d'eau se dresse à l'avant du cargo, et vient s'écraser contre lui. Les mâts s'écroulent, la proue se tord, sur la passerelle, les vitres volent en éclats, et le château recule de plusieurs mètres... On déplorera 3 morts et 12 blessés.

Tous les marins ou presque voient, un jour ou l'autre, une vague monstrueuse surgir devant leur bateau. Sa hauteur varie de 20 mètres dans le Pacifique Nord en 1921, à 35 mètres un peu plus tard au large du cap Hatteras (sur la côte de Virginie). En 1826 déjà, le savant et navigateur français Dumont d'Urville fait état de creux de 25 à 35 mètres, témoignage confirmé par trois de ses compagnons. L'amiral Fitzroy, fondateur de l'Institut météorologique des États-Unis, rencontrera quant à lui des lames 20 mètres de haut, tout en précisant que l'on en a déjà vu de plus grosses...

Si l'on est loin d'avoir fait toute la lumière sur ce phénomène, on suppose néanmoins que, par forte houle, la puissance des vagues s'additionne au point de donner naissance à une lame gigantesque...

Mais alors, comment expliquer que l'on ait déjà observé de telles vagues géantes par temps calme ?

Ne serait-ce pas plutôt un contrecoup des séismes et des éruptions volcaniques qui se produisent au fond de la mer ? Les océanographes n'ont toujours pas tranché...

Brumes assourdissantes

Un plaisancier, W.S. Cooper, croise à une trentaine de kilomètres au large de Cedar Key, une des îles à la pointe de la Floride. La mer est calme, le ciel dégagé, il n'y a pas de vent, à peine un peu de brume...

Le jour se lève. On entend alors comme une détonation, ou un coup de canon. Cela va se répéter, toutes les cinq minutes... D'après le coéquipier de notre navigateur, c'est un phénomène habituel le matin, lorsqu'il fait beau...

En Italie, un certain Cancani parlera plutôt, quant à lui, d'un roulement de tonnerre, entendu pendant quelques secondes à intervalles réguliers. Aux Indes, on évoquera par contre un mugissement lancinant, analogue à celui d'une corne de brume...

En règle générale, on attribue ces déflagrations perçues au large de l'Europe, de l'Amérique du Nord, à des avions qui passent le mur du son. L'ennui, c'est que cela fait plus d'un siècle que l'on signale des bruits étranges dans les parages... Il pourrait s'agir d'émanations soudaines de gaz sous l'océan. Les fissures observées au fond de l'eau en de multiples endroits du bouclier continental semblent accréditer cette thèse...

Guérison à distance

Certaines religions prétendent que l'on peut exercer une guérison à distance. Cette croyance, commune à de nombreuses sociétés, a fait l'objet récemment d'une expérience scientifique...

C'est un savant réputé, l'ingénieur et inventeur Robert Miller, qui en est le père. En liaison avec un laboratoire de recherches, le *Holmes Center for Research in Holistic Healing*, il a voulu voir s'il était possible de soigner quelqu'un à son insu. A cette fin, il engagera huit guérisseurs – quatre psychiatres, deux médiums, et deux pasteurs protestants – avec pour mission de soulager des gens souffrant d'hypertension, lesquels ignorent tout de l'affaire...

Robert Miller demandera à des médecins de sa connaissance de lui fournir un échantillon de malades. A aucun moment les guérisseurs ne rencontreront leurs patients, et les cardiologues eux-mêmes ignoreront qui, des personnes sélectionnées, est « soigné » ou non. Leur rôle se limitera à contrôler régulièrement leur tension, leur rythme cardiaque, ainsi que leur poids...

Les guérisseurs seront libres de choisir le traitement qui leur plaît. Dans l'ensemble, ils « soigneront » les malades en se les représentant en bonne santé...

De l'avis des chercheurs, les résultats seront mitigés. Si dans 92 % des cas on note une baisse de la tension artérielle, on constate aussi une amélioration chez trois personnes sur quatre du groupe témoin...

Les Sirènes du Bosphore

Tout comme avant eux les empereurs romains, les sultans avaient jadis en Turquie droit de vie et de mort sur leurs sujets. Les concubines, en particulier, faisaient souvent les frais des caprices du Grand Turc, qui avait une manière pour le moins expéditive, mais radicale, de punir les femmes têtues ou infidèles : il les faisait enfermer dans un sac, puis jeter à la mer... Abdul le Damné se débarrassera ainsi de trois maîtresses qui l'avaient désobligé. Les malheureuses termineront au fond du Bosphore. Mais elles ne sombreront pas complètement dans l'oubli, car des plongeurs les retrouveront, bien des années plus tard, toujours emprisonnées dans leur enveloppe de cuir, qui se balancent au gré des courants...

Mais tout cela n'est rien, à côté de ce que l'on découvre, au fond du Lac du Diable, en Tchécoslovaquie. C'est en cherchant le corps d'un jeune homme disparu en faisant du bateau, que les plongeurs tombent sur une unité d'artillerie allemande au grand complet, soldats en uniforme, assis sur des chariots et sur des caissons, chevaux tout harnachés, debout dans la vase... Vers la fin de la Seconde Guerre mondiale, ces troupes, qui battaient en retraite, ont voulu couper par le lac gelé. Malheureusement, la glace a cédé sous le poids, et ils ont tous péri noyés. Fichés dans la vase, au milieu d'une eau glaciale, les corps se sont conservés presque intacts. Et c'est ainsi qu'en 1957 on remonte d'un lac des fantômes de la Wehrmacht...

Einstein et l'horloger

Einstein et ses théories ont révolutionné notre conception du temps, de l'espace, de l'énergie, de la nature, et de l'univers dans son ensemble. Il est cependant un point sur lequel l'illustre physicien est demeuré silencieux : la religion. Comme on lui demande un jour s'il croit en Dieu, il répond avoir toujours admiré l'agencement impeccable qui régit l'univers, où tout s'ordonne à merveille, depuis les simples atomes jusqu'aux galaxies, comme dans une gigantesque horloge conçue et réglée à la perfection... « J'aimerais bien rencontrer l'horloger », conclut-il, pensif.

Pyramides sur Mars

Cela fait belle lurette que l'on évoque, dans les milieux scientifiques, l'hypothèse de la présence d'une forme de vie sur Mars. On pense aussi bien à des organismes primitifs qu'à de véritables humanoïdes, qui auraient bâti des villes et creusé des canaux. C'est en 1877 qu'un astronome italien, Giovanni Schiaparelli, mentionne pour la première fois l'existence de ces fameux « canaux » et en dresse la carte. De nos jours, avec l'apparition de télescopes perfectionnés et beaucoup plus puissants, on ne parle plus de canaux, mais simplement de rivières à sec, larges de 7 à 10 mètres environ. On estime souvent qu'il doit encore y avoir de l'eau sur Mars – peut-être sous forme de glace...

Jusqu'à présent, on n'a détecté aucune trace de vie sur les photos-satellites. On aurait pourtant la preuve, au dire de certains, que Mars fut jadis habitée. On remarquerait tout d'abord de curieux édifices, dont l'aspect rappelle celui des pyramides d'Égypte, dans une région baptisée à ce titre « la Cité des Pyramides » par les savants. Précisons toutefois que sur la planète rouge elles ne font pas 200 mètres, comme à Chéops, mais bien 1 kilomètre de côté à la base... Ensuite, un énorme rocher, ou une gigantesque statue, mesurant pratiquement 1 kilomètre et demi, qui représenterait une tête partiellement rasée soulève de multiples interrogations. Enfin, on noterait, au bord de la dépression de Cofrates – une mer asséchée ? – ce qui ressemble aux ruines d'un ancien port : de vastes formes géométriques, qui font penser à des quais, des rues et des immeubles...

L'avenir dira s'il s'agit ou non de véritables constructions. Mais, comme dans le cas célèbre de l'identification des murailles de Troie ou de Babylone, il faudra pour cela entreprendre des fouilles sur place...

Nostradamus et la Révolution française

Pendant onze ans, entre 1547 et 1556, Nostradamus multipliera les prophéties, annonçant pêle-mêle les épidémies de peste, les conflits armés, les révolutions, et même la guerre moderne... Certes, il n'est pas bien sorcier de prévoir qu'il va se produire des affrontements ou des catastrophes. Mais Michel Nostredame, lui, se montrera très précis, donnant le nom d'un tas de gens, des centaines d'années avant leur naissance...

Le mage du XVIe siècle prévoira, par exemple, l'arrivée au pouvoir d'Hitler : il indiquera sa nationalité, et il parlera de son ascension, puis de sa victoire ultérieure sur la France. C'est contre ce dirigeant allemand, appelé chez lui « Hister », que se livreront, ajoute-t-il, les principales batailles...

Au total, il va nous livrer le destin d'une foule de personnages illustres : Napoléon, Edouard VIII, Winston Churchill, Franklin Delano Roosevelt, etc. Si le plus souvent il use de diminutifs à leur encontre, il lui arrive aussi de les citer nommément, comme dans le cas de Pasteur, « qui sera, dit-il, vénéré comme un dieu »...

De même prédira-t-il la chute de la monarchie et la mort du roi Louis XVI, « Lui », ou l'« Élu des Capets », dans son langage. Deux exemples : quand le roi cherche à s'enfuir, il est trahi par « Narbon » – soit le comte de Narbonne, futur ministre de la Guerre, et « Saulce », en l'occurrence le procureur qui interceptera sa diligence à Varennes. De même, « le trouble, écrit-il, gagnera la tuile », allusion manifeste à la journée du 20 juin 1792, où le peuple envahit les Tuileries...

De la mort du souverain naîtront, dit-il, « tempête, feu, sang, et tranchage » – ce dernier terme désignant visiblement la guillotine qui n'était pas encore inventée à son époque...

Des Indiens chez les Romains

Voilà bientôt deux mille ans, sous le règne d'Auguste, une pirogue vient s'échouer sur les rives de la mer du Nord. Ses occupants, deux hommes à la peau cuivrée, qui s'expriment dans une langue bizarre, font des grands signes, et montrent leur bateau, puis l'ouest... Ne comprenant rien à ce qu'ils racontent, les soldats romains les amènent au proconsul Publilius Metellus Cellar, qui en fait des esclaves...

Nos deux infortunés Peaux-Rouges auraient sans doute sombré dans l'oubli, si l'on n'avait trouvé trace de l'un d'eux, sous forme d'un buste d'homme, ressemblant à s'y méprendre à un Indien d'Amérique...

Qui sait, peut-être s'agissait-il de pêcheurs, qui ont été entraînés au large par les courants, et qui ont ensuite dérivé jusqu'en Europe... Après tout, Christophe Colomb lui-même s'est laissé porter par le Gulf Stream (lequel décrit une boucle entre les deux continents) pour atteindre le Nouveau Monde. Il connaissait d'ailleurs l'anecdote, car il mentionna un jour, dans une conversation, l'histoire de ces deux hommes au teint bistre – des Chinois ? – qui ont atterri un beau matin sur les côtes d'Irlande, non loin de Galway...

Triste Fin de partie

Avant l'arrivée des Européens dans le Nouveau Monde, un jeu faisait fureur chez les Indiens d'Amérique centrale, du Mexique, et de certaines régions méridionales des États-Unis, le *Tlachtli*. Il s'agissait, un peu comme au football ou au basket-ball, de faire passer une balle à travers une ouverture pratiquée dans une grosse pierre installée en hauteur. On avait le droit de se servir de toutes les parties du corps, hanches, coudes, jambes, tête... sauf des mains.

Plus qu'un simple sport, il semble bien que le Tlachtli ait aussi fait office de rituel religieux, les perdants y laissant souvent, outre leurs vêtements et leurs atours, leur vie... Chez les Aztèques, par exemple, les prêtres sacrifiaient les vaincus sur des autels en leur arrachant le cœur...

La rencontre de Tlachtli la plus funeste opposera Moctezuma, l'empereur du Mexique, à Nezahualpilli, souverain de Tezcoco. Moctezuma conteste les prédictions des astrologues de Tezcoco, qui annoncent l'arrivée prochaine d'envahisseurs, et la fin du monde Aztèque... On joue donc trois coqs contre le royaume de Tezcoco. Victorieux, Nezahualpilli conservera son titre de roi, et Moctezuma lui cédera les trois volatiles...

Cette partie de Tlachtli favorisera, en fin de compte, l'entreprise des conquistadores. Moctezuma sera en effet tellement affecté par sa défaite qu'il se révélera incapable par la suite d'organiser la résistance contre les envahisseurs...

Saint Louis châtie le blasphème

Vaincu en 1249, à la bataille de la mansourah, Saint Louis tombe aux mains des Mahométans. Libéré contre le versement d'une énorme rançon, il va dès lors poursuivre la croisade dans son royaume, où il entend proscrire à tout jamais les jurons et les blasphèmes. Il n'hésitera pas d'ailleurs à faire percer les lèvres d'un bourgeois sacrilège...

L'usage se répandra alors de dire « parbleu » ou « sacrebleu » à la place de « pardieu » ou « cordieu ». Gageons que les Français ont depuis longtemps oublié aussi bien l'origine que le sens initial de ces expressions familières...

Saturnales et religion

Le 31 octobre, soit la veille de la Toussaint, on célèbre Halloween dans les pays Anglo-Saxons. Des citrouilles évidées figurant des têtes de sorcières sont posées, éclairées, sur le rebord des fenêtres. Les enfants vont de porte en porte quémander des friandises, en récitant la formule consacrée...

En 1987, un certain Ralph Forbes, candidat malheureux aux élections sénatoriales, intentera une action en justice contre la traditionnelle fermeture des écoles publiques ce jour-là, sous prétexte que c'est encourager la pratique d'un rite satanique...

Quoi qu'on pense de la vertu salvatrice de mesures telles que l'interdiction de décorer les façades, ou d'y jeter des œufs, ce qu'il faut retenir, c'est que figureront alors au banc des accusés un personnage louche et peu recommandable, connu sous le nom de Satan, et une administration au demeurant parfaitement honorable, celle du District Académique de Russel, et que tout le procès sera mené au nom du Seigneur Jésus-Christ, et de ces chers petits...

Les Assyriens de l'Amazone

Lorsqu'en l'an 1500 les Portugais accostent au Brésil, son nom est déjà tout trouvé. Ne viennent-ils pas d'atteindre, enfin, la contrée de légende, riche en fer, et ouverte sur l'Atlantique, que l'on appelle « Brésil » ? Il faut savoir que dans la plupart des langues sémitiques, dont l'hébreu moderne, le mot « Brésil » (B-R-Z-L) signifie « fer », ou « terre de fer »...

Il est intéressant de noter, à ce propos, que l'on a découvert, le long de l'Amazone, un grand nombre de tablettes portant des inscriptions en phénicien, ou dans d'autres idiomes apparentés. On a bien sûr tout de suite songé à un canular. Mais pourquoi des plaisantins se seraient-ils donné tout le mal de graver ces tablettes et de les transporter en plein milieu de la jungle ?

S'il s'avère donc qu'elles sont authentiques, il faut alors supposer que dès l'Antiquité, on a fait le voyage du Moyen-Orient à l'Amérique du Sud, deux mille ans avant les Portugais, et Christophe Colomb...

Impendable

Reconnu coupable de meurtre sur la personne d'un policier de Sydney, Joseph Samuels est condamné en septembre 1803 à la potence. Le jour de l'exécution, on le dresse, malgré ses protestations d'innocence, dans la charrette, et on lui passe la corde au cou. Puis on fouette les chevaux. Mais voilà qu'il parvient à se dégager, et qu'il roule à terre ! On recommence, après lui avoir lié les bras. Cette fois, c'est la corde qui s'effiloche, et le malheureux gigote, à moitié étranglé. Lors de la troisième tentative, elle cassera net, et Joseph Samuels mordra encore la poussière, vivant, et terrorisé...

La foule commence à gronder. On y voit un signe ; s'il était vraiment coupable, on n'éprouverait pas tant de difficultés à le pendre... Finalement, on le reconduit en prison.

On va effectivement démasquer le vrai coupable – un certain Isaac Simmonds, qui s'était copieusement moqué de Joseph Samuels, ce jour-là. Avec lui, pas de problème : il sera pendu haut et court, dans les règles de l'art...

Massacres de chats

Entre 1346 et 1350, la Peste Noire fera 75 millions de morts en Europe. L'épidémie serait venue, dit-on, de Jaffa. Les bateaux qui commercent avec le Moyen-Orient ramènent avec eux des rats infestés de poux, qui vont alors contaminer la population...

Que faire ? Pas grand-chose. A tout hasard, on prie, et l'on se repent. Des colonies de pénitents encapuchonnés parcourent les villes dévastées. Il doit bien y avoir un coupable ! On brûle pour commencer les sorcières. Ça ne suffit pas. On s'en prend alors aux chats (qui ont le malheur de ne rien dire, quand leurs complices et alliées parlent trop). Hélas, l'extermination des félins raticides se traduira par un pullulement incontrôlé de rongeurs. C'est encore pire qu'avant...

Le fléau s'éloigne, vers les plaines du Nord. La vie reprend son cours normal, dans l'Europe meurtrie et renaissante, et les chats retrouvent leur place au coin du feu, avec leur mission naturelle de chasseurs de rats...

Un OVNI se fait de la pub

L'opérateur de prises de vues n'en croit pas ses yeux : une soucoupe volante apparaît dans le champ ! L'émoi gagne toute l'équipe. Un OVNI, de taille impressionnante, et brillant de mille feux, survole la terrasse où l'on tourne un film publicitaire... Tous les témoins sont formels : il ne s'agit pas d'un avion, ni d'un hélicoptère ou d'un dirigeable. Il va disparaître aussi vite qu'il est venu, non sans avoir gâché une séquence entière, qu'il faudra recommencer...

L'affaire se passant à Porto Rico, en proie cette année-là (1972) à une véritable vague d'OVNIS, elle ne présenterait qu'un intérêt anecdotique, si la séquence ratée, montrant la soucoupe volante, n'avait ensuite été réutilisée dans un film de science-fiction...

La Terre creuse

Aussi bizarre que cela puisse nous paraître, il se trouve que les hommes ont souvent pensé que la terre était creuse. Les Grecs, par exemple, croyaient que les volcans étaient les portes de l'Hadès, le monde souterrain des Enfers. De même, on parlait autrefois au Japon d'un monstre caché sous nos pieds, qui provoque, lorsqu'il s'étire, les séismes. Enfin, la tradition bouddhique Mahayana, à travers la légende d'Arghati, affirme que le Maître de la Terre et sa suite résident quelque part, sous la Chine...

La croyance traversera les siècles, et la théorie de la « terre creuse » sera à une époque très en vogue aux États-Unis, où se fonde en 1870 la Société des amis de la terre creuse (Hollow Earth Society), qui comptera un temps des milliers d'adhérents. En 1823, un capitaine de vaisseau, nommé John Symmes, soutient devant les membres du Congrès qu'il existe, à l'intérieur du globe, « une région fertile, au climat tempéré... où vivent une faune et une flore abondantes... et qui sait, peut-être aussi des hommes ». Il a donc l'intention de monter une expédition au pôle Nord, afin de découvrir ce que l'on baptise déjà « le Trou de Symmes », pouvoir descendre ensuite dans les entrailles de la planète. Mais pour cela, il lui faut de l'argent. Le Congrès l'écoute avec intérêt, et sur ses recommandations, le ministère de la Guerre et son homologue du Trésor débloquent les crédits nécessaires pour affréter trois navires, avant que le président Andrew Jackson ne se décide à mettre le holà...

Aujourd'hui encore, il reste des gens persuadés que

la terre est creuse, et que l'on ferait peut-être bien d'aller voir ce qui se passe sous nos pieds. De temps à autre paraît un livre ou un article sur le sujet. L'argument est grosso modo toujours le même : il existe tellement de choses creuses, sur le globe, qu'il n'y a pas de raison pour qu'il ne le soit pas lui aussi...

Hitler et la Bulle

De retour de captivité, un pilote allemand, nommé Bender, soulèvera une certaine émotion dans le pays, en soutenant une théorie pour le moins originale : d'après lui, la terre, ainsi que le soleil et la lune (beaucoup plus petits qu'on ne le croit) seraient englobés au sein d'une gigantesque bulle, que la distance et la condensation dans les hautes couches de l'atmosphère nous empêcheraient de voir... Nous ne serions donc qu'un pépin, au milieu d'une immense coquille vide qui tournerait dans l'espace...

Séduit par cette chimère, Hitler en personne ordonne d'effectuer des recherches. C'est qu'il en escompte des applications directes sur le plan militaire : il semblerait en effet qu'il soit plus facile dans ce cas de suivre les mouvements de la flotte ennemie. « Nous pensions, raconte G.S. Kniper, qui devait travailler par la suite à l'observatoire du mont Palomar, que si la terre baignait elle-même dans un ensemble clos, cela permettrait d'effectuer des observations à longue distance avec les rayons infrarouges, plus directs que les autres. »

Les Allemands dépenseront en pure perte des sommes énormes pour faire travailler une équipe de savants sur l'île de Reugen, bardée de radars et d'instruments de télédétection...

Le Monstre du Loch Ness

D'après tous ceux qui l'ont vu, Nessie, le fameux monstre du Loch Ness, ferait dans les 12 à 20 mètres de long. Il aurait une tête de reptile, des petits yeux cruels et des pattes palmées. Dès lors, on pense qu'il pourrait s'agir d'un Plésiosaurus, un mammifère aquatique disparu depuis soixante-dix millions d'années...

C'est au VIe siècle que l'on commence à parler d'un « démon... qui répand la terreur ». Sainte Colomba l'aurait empêché de dévorer un nageur, mais une autre fois, il aurait entraîné sous l'eau deux petits garçons, en un endroit du lac baptisé depuis le « Bassin des enfants ». Cent ans plus tard, on le voit nager en surface...

On le voit de plus en plus souvent. Sale bête ! On va même monter une véritable expédition sur le lac, à la recherche de la bête. Sans doute la prime de 2 millions et demi de dollars, offerte par la société *Black and White* (qui fabrique le whisky du même nom) à quiconque apporterait la preuve formelle de l'existence de Nessie, n'est-elle pas totalement étrangère à cet engouement... En 1967, un homme politique local sera lui-même témoin d'une apparition du monstre – ce qui, soit dit en passant, lui coûtera son poste de président du comité d'observation, démocratie oblige. Quant à ce patron d'hôtel, Johnny MacDonald, qui clamait haut et fort que tout cela n'était qu'une légende, il changera brutalement d'avis le jour où la bête pointera le nez hors de l'eau, pratiquement sous ses fenêtres...

Ce ne sont pas les photos de Nessie qui manquent.

On a même calculé qu'il devait faire du 50 kilomètres à l'heure sous l'eau, suffisamment pour soulever des vagues sur son passage. Sur un cliché sous-marin, on voit une tête cornue, passablement effrayante, qui fixe l'objectif... Précisons également que des capteurs électroniques ont permis de suivre les évolutions d'une forme d'environ 10 mètres...

Cela dit, Nessie n'est pas en soi dangereux, même s'il a donné des sueurs froides à plusieurs personnes. Telle la mésaventure arrivée en 1952 à un certain John Cobb : il fonce en hors-bord sur le lac, quand soudain il est pris dans de violents remous – sans doute le monstre qui plongeait, chassé par le bruit du moteur...

Les étrangers ne sont donc pas forcément les bienvenus, ainsi qu'en témoigne cette autre anecdote : on tourne un jour un film sur le loch Ness, et à cette fin on met à flot une réplique approximative de Nessie. Lors d'une prise de vues, « quelque chose » attrape soudain la corde et entraîne le monstre en plastique sous l'eau. On ne le reverra jamais...

Art pariétal australien

On a trouvé, en Europe, des peintures rupestres datant de l'ère glaciaire, qui représentent des Diprotodons, animaux de la taille d'un rhinocéros, disparus depuis six mille ans. Mais les archéologues auront la surprise de découvrir en Australie, plus connue pour abriter kangourous et autres marsupiaux, un portrait de la même bête... Extraite d'un refuge de pierraille, la peinture montre un Diprotodon attaché par une longe. Ce qui laisse supposer que non seulement cette espèce était bien présente sur le continent austral, mais encore qu'elle y était domestiquée...

La Vision d'Ézéchiel

L'ouvrage de Erich Daniken : *Les Chariots de feu* (Chariots of Fire) va tout d'abord mettre Josef Blumrich hors de lui. Comment peut-on soutenir que le prophète Ézéchiel a assisté en direct à l'atterrissage d'un OVNI ? Insensé. Furieux, il dédice de répondre publiquement à l'auteur. Ingénieur en chef à la Nasa, il est mieux placé que quiconque pour le faire... Et pourtant, il lui suffira de se reporter à ce passage de la Bible pour constater que Erich Daniken n'a rien inventé, et que, selon toute vraisemblance, Ézéchiel nous décrit bien l'arrivée d'un engin spatial. Le texte est éloquent, et les images employées on ne peut plus explicites : « ... un vent de tempête, soufflant du nord, un gros nuage environné d'une lueur, un feu d'où jaillissaient des éclairs, et au centre comme l'éclat du vermeil, au milieu du feu... »

Dans cette optique, « les sabots qui ressemblaient à ceux d'un bœuf » seraient les béquilles du véhicule. Quant à la phrase sibylline : « c'était comme un animal, avec quatre ailes et quatre têtes », elle renvoie sans doute au fait que l'appareil tournait sur lui-même. Notons à ce propos que la capsule Gemini, avec ses hublots, avait peu ou prou l'allure d'une grosse tête de vache... De même, les « mains d'hommes, sous leurs ailes » désigneraient les bras mécaniques, montés sur cylindres. Ézéchiel mentionne également des roues, qui brillent « de l'éclat de la chrysolite »...

Loin donc de prendre le contre-pied de Erick

Daniken, Josef Blumrich va abonder dans son sens, et publier lui-même un essai sur la question : *The Spaceship of Ezekiel (Ézéchiel et le vaisseau spatial)...*

L'Hiver atomique

Une guerre atomique ferait, selon les estimations, des centaines de millions, voire des milliards de morts. Mais quel serait le sort des rescapés ? N'allons pas croire qu'il suffirait alors de reconstruire les cités dévastées pour que la vie reprenne son cours normal. Car la planète, nous disent d'éminents savants, serait alors plongée dans le froid et les ténèbres...

Un échange nucléaire de grande ampleur, déclarent ces scientifiques, rassemblés autour de l'astronome américain Carl Sagan, projetteraient tellement de poussière et de fumée dans l'atmosphère que cela ferait écran au passage des rayons solaires. La température chuterait brutalement de 30 degrés. Lacs, cours d'eau, et partie des océans seraient pris par les glaces. Les cultures mourraient sur pied, la famine sévirait. S'installerait alors le terrible « Hiver atomique »...

Si l'on ajoute que villes et campagnes seraient en proie à de gigantesques incendies, on obtient, effectivement, une vision de cauchemar...

Les Ailes des anges

Le peintre espagnol El Greco comparaîtra en 1541 devant le tribunal de l'Inquisition. Non qu'on l'accuse d'hérésie, de sorcellerie, ou d'avoir abjuré sa foi. Mais l'Église lui reproche sa manière de représenter les ailes des anges...

Aux yeux des inquisiteurs, son style est dans ce domaine en contradiction avec le droit canon et l'Écriture sainte : autrement dit, il dénaturerait son modèle... Contrairement à d'autres victimes de l'Inquisition, El Greco plaidera sa cause avec succès. Il mettra tant d'éloquence à défendre sa conception de la forme, de la pureté et de la grâce, que ses juges l'acquitteront. Peut-être, au fond d'eux-mêmes, ont-ils été sensibles à son art, du moment qu'il n'affichait pas une inspiration trop païenne...

Saturnisme à la romaine

Le temps s'est brusquement figé à Pompéi et à Herculanum, détruites en l'an 55 de notre ère par une éruption du Vésuve. En l'espace de quelques secondes, des nuées ardentes chargées de cendres ont recouvert les deux cités. Cette catastrophe restée célèbre est pourtant une aubaine pour les archéologues, qui ont le privilège extraordinaire de découvrir une ville subitement pétrifiée, quand tout un chacun vaquait à ses occupations. On connaît surtout Pompéi, où dès la Renaissance, les amateurs d'art venaient chercher des antiquités. La situation est plus complexe à Herculanum, puisque sur le site se dresse désormais une autre agglomération...

La campagne de fouilles de 1988 permettra néanmoins de dégager des quartiers entiers, et surtout d'exhumer des corps. Presque intacts dans leur gangue de lave, ils fourniront des indications précieuses sur les affections dont souffraient les Romains, notamment le saturnisme, c'est-à-dire l'intoxication par le plomb...

C'est vraisemblablement la nourriture qui était contaminée, car les récipients métalliques utilisés pour la cuisine étaient soudés avec un alliage à base de plomb. Absorbé à jet continu, le plomb, on le sait, provoque des lésions cérébrales, et il entraîne des lésions génétiques et la stérilité. Peu à peu, la vieille sève romaine va se tarir, pendant que les Barbares, eux, qui n'utilisent pas le plomb pour fabriquer leurs casseroles et leurs marmites, connaissent une explosion démographique. Les troubles mentaux affectent une part croissante de la population romaine; il y a même des empereurs fous – Néron, Caligula. Lentement se dessine le déclin, puis la chute, de l'empire...

Le Lion amoureux

Un zoo de Californie, le California's Lion Country Safary, décide de faire avoir des petits à la dizaine de lionnes qu'il détient. On sélectionne donc cinq jeunes mâles, robustes et vigoureux. Mais ces dames les repoussent avec dédain, et l'un d'eux qui insistait un peu trop sera même cruellement mordu...

On leur cherche donc un remplaçant, et faute de mieux, on se rabat sur un vieux lion tout pelé, acheté à un cirque mexicain en faillite. Le pauvre, après toutes ces années passées en cage, il fait pitié; efflanqué, presque édenté, il boite, et il a peur de tout... Tout le monde s'attend à un nouveau fiasco. A la surprise générale, il rencontre un succès fou auprès des lionnes, qui se battent pour jouir de ses faveurs, et font assaut d'amabilité à son égard, allant même jusqu'à lui mâcher sa viande! En si bonne compagnie, le vieux fauve retrouve bien vite une seconde jeunesse, il déploie à la tâche une ardeur infatigable. Au total, il ne concevra pas moins de 35 descendants en seize mois, avant de s'éteindre paisiblement, au terme d'une retraite active et voluptueuse...

Décès suspects

En août 1985, on retrouve sous un pont, dans la région de Bristol, le corps d'un certain Vimal Sajibhai, affecté au contrôle des systèmes de guidage des torpilles sous-marines. Cela devait marquer le début d'une mystérieuse épidémie de décès. Au total, neuf autres scientifiques travaillant dans des secteurs clefs de la Défense nationale disparaîtront dans des circonstances étranges, sans qu'il n'existe apparemment le moindre lien entre toutes ces histoires. A chaque fois, on conclura au suicide, ou bien on classera l'affaire...

Quelque temps après, Ashad Sharif, une corde passée autour du cou, et reliée à un arbre, se fracasse la nuque en démarrant...

S'ensuivent, en janvier 1987, la disparition d'un ingénieur en électronique, Richard Pugh, retrouvé mort chez lui à Londres, puis celle de son collègue John Britten, découvert asphyxié dans sa voiture tournant au point mort au fond du garage. Périssent dans les mêmes conditions un spécialiste des métaux, Peter Peapul, et un informaticien, Trevor Knight...

La série noire continue : l'informaticien David Sands, le coffre de sa voiture bourré de bidons d'essence, fonce dans un restaurant vide, et provoque une gigantesque explosion. Son homologue Mark Visner meurt étouffé, la tête dans un sac en plastique. Victor Mood, lui, succombe vraisemblablement à une surdose. Quant à Russel Smith, membre du comité ultra-secret à l'Énergie atomique (United

Kingdom Atomic Energy Authority), sa voiture s'écrase au pied d'une falaise...

Pour la presse britannique, c'est clair : un service secret étranger cherche à entraver à tout prix le développement de nouveaux moyens de lutte anti-sous-marine destinés à la Royal Navy. En tout cas, l'affaire paraîtra suffisamment sérieuse pour que la Chambre des Communes se décide, enfin, à ouvrir une enquête...

Raspoutine

Un mystérieux moine sibérien exercera une emprise considérable sur le tsar Nicolas II et sur son épouse. La tsarine ne dira-t-elle pas « notre ami » en parlant de lui ?... Ce sont d'abord ses talents d'hypnotiseur qui lui vaudront les faveurs du couple impérial. Par ce biais, il réussit en effet à stopper les crises de saignement du jeune dauphin, hémophile. Une fois qu'il aura ses entrées au palais, Raspoutine, c'est son nom, va s'enrichir dans le trafic des munitions, place des amis à lui au gouvernement, se mêler de tactique, et mener au bout du compte une vie dissolue, en compagnie le plus souvent de dames de la cour... Son influence grandissante finira cependant par entamer le crédit de l'État, et par affaiblir le pays après l'ouverture des hostilités...

On pense parfois qu'il s'agissait d'un agent allemand, mais cela reste à prouver. Il n'en demeure pas moins que par ses agissements, Raspoutine fera le jeu de l'Allemagne, en nuisant à l'effort de guerre de la Russie. Aussi les Allemands s'emploieront-ils à le maintenir en place.

Raspoutine, par exemple, effectuait de fréquentes visites aux blessés de guerre dans les hôpitaux. Payés par des espions ennemis, des soldats faisaient semblant d'être dans le coma. Quand Raspoutine s'approchait, ils revenaient subitement à eux, rendant grâce à Dieu, à tous les saints, et à Raspoutine, de cette guérison miraculeuse. La scène se renouvelant périodiquement, Raspoutine en tirera un prestige accru aux yeux de la population et du couple impérial lui-même...

Finalement, en décembre 1916, le prince Felix Youssoupov décidera de débarrasser son pays de Raspoutine. Connaissant son goût pour les jolies femmes, il l'invite à une soirée. Là, il le fait boire, il lui sert des gâteaux empoisonnés, puis il l'achève au pistolet et il jette son corps dans la Neva à moitié gelée...

Mais il est, hélas! trop tard. Totalement discrédité, le régime tsariste ne survivra pas à la Révolution de février 1917, qui signera l'arrêt de mort de la dynastie des Romanov...

Deux Anglaises chez Louis XVI

Deux institutrices anglaises en vacances en France, Ann Morely et Eleanor Jourdain, se rendent à Versailles. Après la visite du château proprement dit, elles traversent les célèbres jardins de Le Nôtre pour aller au Petit Trianon, le pavillon champêtre qu'affectionnait la reine Marie-Antoinette. Craignant de s'égarer, elles demandent leur chemin à deux jardiniers, l'un et l'autre en costume du XVIIIe siècle ; bizarre... Un peu plus loin, elles aperçoivent une femme et une petite fille, devant l'entrée d'une ferme, vêtues elles aussi à la mode d'antan...

Assis sur les marches d'un Temple d'Amour, petit édifice circulaire coiffé d'un dôme soutenu par des colonnades, se tient un personnage brun, à la mine peu engageante. Au détour d'un bloc rocheux, sur le sentier encombré d'herbes folles, surgit un jeune homme. Elles ne comprennent pas ce qu'il dit, car il s'exprime en patois, mais par gestes il leur indique la direction à suivre : il faut traverser une passerelle en rondins, qui enjambe un ruisseau...

« Tout alentour avait l'air irréel... Immobiles, sans consistance, les arbres ne projetaient aucune ombre, et il n'y avait pas un souffle de vent », raconteront nos deux demoiselles.

En arrivant à proximité du Petit Trianon, elles voient une dame, sans doute de la noblesse, en train de dessiner. Coiffée d'un grand chapeau, vêtue d'un long corsage vert et d'une jupe courte de couleur blanche, elles les regarde s'avancer avec stupeur...

Brusquement, la scène se ranime, et tout redevient

normal. Un guide touristique s'offre de leur faire visiter le bâtiment. La dessinatrice de tout à l'heure a disparu comme par enchantement...

Nos deux institutrices attendront quelques jours avant de parler de tout cela autour d'elles, et ce n'est qu'en 1911 qu'elles publieront, anonymement, le récit de leur visite au château de Versailles, dans un petit livre appelé à connaître un succès retentissant. Après avoir mené leur enquête, elles sont persuadées de s'être retrouvées brutalement plus d'un siècle en arrière, à la cour de Louis XVI, en 1789...

Dans cette optique, les « jardiniers » seraient en fait des gardes suisses, et l'inquiétant personnage brun le comte de Vaudreuil, de passage à Versailles durant l'été de 1789. Quant à la femme et à la petite fille devant la ferme, sans doute s'agissait-il de paysans vivant et travaillant sur le domaine royal. Enfin, dans ses Mémoires, la couturière de Marie-Antoinette rapporte que cette année-là, la reine portait souvent un corsage vert avec une jupe blanche...

Comme toutefois on ne trouve aucune référence à un petit pont enjambant un filet d'eau dans les textes de l'époque, on ne manque pas de les tourner en dérision – jusqu'au jour où l'on découvre, cachés dans la cheminée d'une maison des environs, les plans originaux tracés par l'architecte...

Toute cette histoire reste néanmoins obscure. Nos deux institutrices anglaises auraient-elles, par hasard, rencontré des fantômes de l'histoire de France ? Ou bien, plus extraordinaire, auraient-elles effectué un voyage dans le temps, en 1789, au château de Versailles ?...

La Veuve et l'assassin

La chaleur est accablante. Le ménage terminé, Ruth Ammer va s'allonger, et doucettement elle s'assoupit. Un cauchemar la réveille en sursaut : son mari !... Elle vient de voir quelqu'un le frapper à coups de marteau !...

A midi, comme il tarde à rentrer, elle court lui porter son repas à l'échoppe – son époux, d'origine syrienne, est cordonnier. A son arrivée, elle découvre une vision d'horreur. Ligoté, le crâne fracassé, son mari gît dans une mare de sang au milieu de la boutique. A quelques mètres du corps, l'arme du crime, un marteau...

Devant la police, elle brosse un portrait détaillé du meurtrier, tel qu'elle l'a aperçu en rêve, mais bien sûr on n'accorde pas le moindre crédit à ses déclarations. L'attitude des enquêteurs change du tout au tout, lorsqu'ils apprennent qu'à l'heure du crime, on a vu rôder autour de la boutique un homme correspondant trait pour trait au signalement...

Les songes n'ayant pas valeur de preuve ou de témoignage, le sien ne sera donc pas cité au procès. Ruth Ammer n'en aura pas moins la consolation de voir l'assassin de son époux – un certain Williams Edmonds – condamné à la réclusion criminelle à perpétuité...

Vision de meurtre

L'anecdote remonte au mois de juin 1922. Sir Henry Wilson, ancien chef d'état-major de l'armée de l'air britannique pendant la Première Guerre mondiale, et membre du Parlement, passe la soirée chez une amie très chère, Lady Londonderry, qui tient salon dans la bonne société. La réunion se prolonge jusqu'à près de 2 heures du matin. Lady Londonderry va ensuite aussitôt se coucher. La nuit sera rude. Quand elle se réveille, un peu plus tard, dans les bras de son mari, elle est en nage et tremblante de peur...

Elle vient de faire un cauchemar épouvantable : on était en train d'assassiner Sir Henry; deux hommes, qui lui tiraient dessus juste devant sa porte, comme il sortait d'un taxi... Et si jamais... ?

Son mari la rassure. Tout cela n'est qu'un rêve. D'ailleurs, Sir Henry s'habille en civil, et non pas en uniforme comme dans la scène qu'elle prétend avoir « vue »...

Une dizaine de jours plus tard, Sir Henry Wilson inaugure officiellement un monument aux morts dans la gare de Paddington. Pour l'occasion, il revêt son plus bel uniforme. La cérémonie terminée, il rentre chez lui en taxi. A peine arrivé devant chez lui, deux individus l'abattent à bout portant, exactement comme dans le rêve de Lady Londonderry...

Pluie sans nuages

Il n'y a pas de pluie sans nuages, comme il n'y a pas de fumée sans feu, c'est enfantin. Comment expliquer, dans ces conditions, que l'on voie parfois pleuvoir, lors même que le ciel est parfaitement dégagé ?

Le cas se produit le 11 novembre 1958, dans la région de Washington. Il fait un temps superbe, ce jour-là, et cependant la maison de Mrs. Babington et toute une partie du jardin sont copieusement arrosées ! Au début, cette dame pense à un système d'arrosage mal orienté chez ses voisins.

Pas du tout. Vérification faite, il n'y a aucun tourniquet branché dans les environs, ni de canalisation crevée ou de robinet ouvert. Et pourtant il pleut !

Une dizaine de personnes, dont Adras Laborde, rédacteur en chef du quotidien local, l'*Alexandria Daily Town Talk*, assisteront au prodige, et verront cette mystérieuse averse s'abattre des heures durant sur la propriété de Mrs. Babington. Les météorologues eux-mêmes n'y comprennent rien...

Même scénario à Dawson, une petite ville de Géorgie, à la fin du siècle dernier. Là non plus, il n'y a pas de nuages, et néanmoins il pleut pendant une heure sur une surface circulaire d'environ 8 mètres de diamètre. *Idem* le mois suivant, en Caroline du Sud. Là, selon le *Charleston News and Courier*, une maison et la pelouse attenante subiront, des heures durant, un véritable déluge, alors que le ciel est tout bleu... Toujours dans la même région, il va pleuvoir sans discontinuer, nous dit le *New York Sun*, sur un périmètre d'une dizaine de mètres de large, alors que le temps est au beau fixe...

Heureuse Précipitation

C'est un vrai conte de Noël... Une dame qui travaille de nuit, Mrs. Hazel Lambert, quitte son service à 10 heures du matin, le 24 décembre 1958. Elle reconduit chez lui un collègue, puis elle va faire des courses au supermarché. Chemin faisant, sans raison apparente, elle écrase soudain l'accélérateur, et elle débouche en trombe sur Franklin Street, où elle passe d'ailleurs pour la première fois...

Qu'est-ce qui lui prend tout à coup de rouler si vite ? Mrs. Lambert ne se l'expliquera jamais, sinon qu'il s'agit sur le moment d'une pulsion irrépressible. Elle fonce sur Hillside Street. C'est là qu'elle aperçoit, sur le lac gelé en contrebas, deux petites mains dépassant d'un trou, cramponnées à la glace...

Dévalant le carrefour à toute allure, elle perd le contrôle de son véhicule et atterrit sur le canal. La glace se rompt, la voiture s'enfonce dans 1,20 mètre d'eau froide. Impossible d'ouvrir les portières. Elle appelle au secours, klaxonne furieusement...

Alerté par le tintamarre, George Taylor accourt avec son fils. Appuyé sur un bâton, l'adolescent va récupérer la petite Carole Scheese, qui se serait à coup sûr noyée, si Mrs. Lambert ne s'était mise soudain à rouler à tombeau ouvert...

Pannes suspectes

Le 14 juillet 1963, aux alentours de midi, la ville de Denver, dans le Colorado, se trouve brusquement privée d'électricité. La liaison est totalement interrompue avec les deux centrales qui alimentent l'agglomération. Du coup, cela provoque un survoltage qui fait sauter les lignes desservant Cheyenne et Boulder. Pour éviter d'endommager les turbines, on est obligé d'arrêter la centrale de Cherokee...

La raison de cette panne ? Certainement pas une rupture de câble, ou un défaut de fonctionnement des appareillages. Les ingénieurs sont formels : tout est en ordre. Le courant d'ailleurs reviendra tout seul... « Nous ne saurons sans doute jamais ce qui s'est passé », conclut un responsable officiel devant la presse.

Reste qu'il existe parfois des coïncidences troublantes entre ces pannes générales de secteur et l'apparition d'OVNIS. Citons pour mémoire un incident survenu au Brésil, sur lequel s'est penché un scientifique, Olavo Fontes, et qui a donné matière à un livre de Carol Lorenzen (directrice d'un organisme d'études des phénomènes sériens, l'*Aerial Phenomena Research Organization*), intitulé *The Great Flying Saucer Hoax* (Quand les extraterrestres nous jouent des blagues).

En août 1959, les quatre interrupteurs automatiques de la centrale d'Uberlandia, dans le Minas Gerais, se déclenchent tout seuls. Il ne sort plus de courant de l'usine, qui tourne à vide. C'est d'autant plus incompréhensible que par ailleurs tout est normal...

C'est alors qu'un technicien d'une installation

annexe, distante de quelques kilomètres, appelle en catastrophe l'ingénieur en chef pour lui dire qu'un OVNI, excusez du peu, vient de survoler le bâtiment, et que les systèmes de sécurité se sont actionnés automatiquement!...

Divagations d'alcoolique, raisonne le responsable de la centrale d'Uberlandia, qui l'envoie promener. Il ramène une première manette en position « marche », puis une deuxième, sans résultat. Il insiste. D'un seul coup, le courant revient! Au même instant, des cris s'élèvent autour de lui, et tout le monde regarde en l'air. Stupeur! Un engin circulaire, intensément brillant, plane en silence au-dessus des lignes à haute tension...

Dès que la « soucoupe volante » sera partie, tout rentrera dans l'ordre, et la centrale sera de nouveau couplée au réseau...

Mort agitée

Qu'une stèle funéraire soulève l'émotion de ceux qui viennent se recueillir devant, rien de plus normal. Mais ce qui, par contre, l'est moins, c'est qu'elle *se soulève toute seule*, comme on a pu voir le cas à Marion, une paisible bourgade du Colorado. Oui, là-bas, dans un coin du cimetière, un cénotaphe a, semble-t-il, la bougeotte...

Sur la tombe de Charles Merchant et de six de ses proches s'élève un monument de granit, composé d'un obélisque blanc supportant une sphère noire d'environ 3 mètres de diamètre. Érigé en 1897, on commence à parler de lui en juillet 1905, quand un employé d'entretien remarque que la grosse boule a été déplacée de plusieurs centimètres. Sans doute l'œuvre de mauvais plaisants, dotés d'une force peu commune, ou bien de matériel lourd... En tout cas, il faudra utiliser un engin de levage pour la remettre en place. Pour éviter d'ailleurs que l'incident ne se reproduise, on décidera de sceller avec du ciment la boule à son socle...

Deux mois plus tard, même scénario : la sphère a de nouveau glissé sur son pivot, cette fois d'une vingtaine de centimètres...

Qu'est-ce que tout cela signifie ? On n'en sait rien au juste, et les savants, dont un géomètre, venus sur place constater le phénomène, en seront, tout comme les curieux, réduits aux hypothèses. Tout se passe, en effet, comme si cette sphère en pierre était vivante et s'animait de temps à autre...

Rencontres mystérieuses

Par deux fois, le destroyer *Kennison* de l'US Navy va rencontrer un bateau fantôme – comme en fait foi le livre de bord.

En 1942, d'abord. Le *Kennison* patrouille à l'entrée de la baie de San Francisco, à la recherche d'éventuels sous-marins japonais. A cause du brouillard, la visibilité est presque nulle, et l'on est obligé de naviguer au radar pour ne pas venir s'échouer sur les récifs des îles Farallon. Deux hommes d'équipage, une vigie surnommée Tripod et un torpilleur de première classe, Jack Cornelius, voient soudain surgir de la brume une forme indétectable au radar, un deux-mâts du temps jadis, qui passe, sans personne à son bord, juste devant la proue du navire!...

Ils sautent sur l'interphone. Le voilier s'est déjà évanoui. Mais tous deux en donneront la même description...

Au printemps de l'année suivante, le *Kennison* patrouille toujours sur les côtes de Californie, mais cette fois beaucoup plus au sud, à 150 kilomètres au large de San Diego. La mer est calme, et la nuit étoilée. Carlton Herschell et Howard Brisbane sont de guet sur la passerelle volante. Tout à coup, dans leurs jumelles ils aperçoivent un cargo, qui se dirige dans leur direction. Ils donnent l'alerte, mais l'officier radar, quant à lui, ne détecte rien d'anormal sur son écran.

Nos deux hommes posent leurs jumelles. Le bateau est maintenant visible à l'œil nu. Il se trouve à environ 10 kilomètres, et il vient droit sur eux. D'un seul coup, il disparaît...

Distorsion du temps dans le Triangle des Bermudes

Le Triangle des Bermudes désigne une zone comprise entre la côte est de la Floride, l'archipel des Bermudes et Porto Rico. Au fil des ans, quantité d'avions et de bateaux y ont disparu, sans que l'on sache exactement pourquoi. Parmi les hypothèses envisagées, citons notamment :

– des variations subites du niveau de la mer (analogues à l'effet de « Seiche » observé sur les lacs), ou bien liées à des éruptions volcaniques sous-marines. Si d'aventure une épave remonte à la surface, elle peut donc soit venir s'échouer sur la côte, soit dériver en plein océan...

– des erreurs humaines, imputables au dérèglement, relativement fréquent, de l'électronique de bord ;

– des tourbillons et des « trous » dans l'océan, qui avaleraient bateaux et avions ;

– des actes de piraterie, liés ou non au trafic de drogue ;

– des phénomènes de dissociation de la matière, par un effet de résonance acoustique (hypothèse soviétique) ;

– des enlèvements d'objets et d'individus présélectionnés par des extraterrestres, qui profiteraient des conditions électromagnétiques particulières régnant dans le Triangle des Bermudes pour aborder la planète ;

– une brusque libération de gaz emprisonnés sous le fond de la mer, à la suite d'une secousse sismique. L'eau de mer serait soudain moins porteuse, et l'horizon s'estomperait derrière un « jour blanc », phénomène courant aux pôles. Les bateaux couleraient, et les avions erreraient à l'aveuglette, avant de tomber en panne sèche...

– d'immenses pyramides englouties, servant jadis, du temps de l'Atlantide, à produire de l'énergie, et qui pourraient se réactiver sporadiquement, détraquant du même coup les instruments de navigation et les appareils-radios des bâtiments croisant dans les parages...

A l'inverse, on signale aussi dans la région d'étranges apparitions défiant toute logique, et susceptibles de remettre en cause toute notre conception de l'espace, du temps et de la matière :

– en juillet 1975, un groupe d'océanographes, embarqués sur le yacht *New Freedom*, traverse un orage magnétique (et sec). Jim Thorne fixe sur la pellicule l'une de ces colossales décharges d'énergie. Sur la photo, en sus de l'éclair, on voit un bateau, avec des voiles carrées, alors que la mer était vide ce jour-là...

– John Sander, steward sur le *Queen Elizabeth 1*, voit un petit avion raser la mer à quelques encablures du paquebot. Un de ses collègues et un officier l'aperçoivent également, quand il accroche une vague, et s'abîme dans les flots. Le *Queen Elizabeth* stoppe ; on envoie une chaloupe, mais les sauveteurs rentreront bredouilles...

– un autre « avion fantôme » plonge en silence dans l'océan, à Daytona Beach, le 17 février 1935, en présence de centaines de témoins. La mer est peu profonde à cet endroit ; mais une fois encore, on ne repêchera aucune épave...

– Helen Cascio s'envole pour Turk Island, aux commandes d'un Cessna 172, avec un passager à bord. A l'heure prévue pour son arrivée, un Cessna 172 tourne effectivement au-dessus de l'île, puis il repart ! Qui plus est, si l'on capte bien ce que dit le pilote, il semble, de son côté, ne rien entendre du tout. « Je ne comprends pas. Depuis le temps, on devrait voir la ville, et l'aéroport. Mais il n'y a rien, là-dessous, c'est complètement désert !... » La tour de contrôle tente vainement de prendre contact avec l'appareil, qui demeure sourd et aveugle. « Il n'y a donc pas moyen de se poser nulle part ! », gronde une voix de femme, comme le Cessna fait demi-tour, puis s'enfonce dans un banc de nuages dont il ne devait pas ressortir...

Et pourtant, il était bien réel, cet avion! A en juger par les réflexions d'Helen Cascio, d'en haut, l'île avait l'air déserte – comme au temps jadis. Helen Cascio serait-elle brusquement revenue des siècles en arrière, à une époque où n'existaient ni aéroport ni construction d'aucune sorte sur Turk Island?

Réincarnation

Un obscur commerçant indien, Monan Parmanand, meurt à Moradabad le 9 mai 1943. Dix mois plus tard, la femme de Bankey Lei Sharma, professeur d'université à Bisaulis, donne naissance à un petit garçon. Jusque-là, rien d'extraordinaire. Mais voilà, dès qu'il sait parler, le gamin prétend avoir jadis était Monan Parmanand ! Il donne même des détails sur les circonstances de son décès : « On m'a mouillé le ventre, et puis je suis mort », explique-t-il à qui veut l'entendre !...

Lassés par tant d'insistance, ou bien secrètement troublés, ses parents décident un jour d'en avoir le cœur net, et ils vont voir avec lui la famille de ce monsieur. Le gamin les conduira sans hésiter tout d'abord à la boutique où « il » travaillait dans sa première vie, expliquant même en détail le fonctionnement d'une machine à gazéifier l'eau, puis auprès de « ses » proches, avec lesquels il s'entretiendra familièrement, en les appelant par leur prénom. Il constatera à cette occasion que la maison a subi des transformations depuis « sa » disparition...

Vous imaginez la réaction de ces braves gens : tout le monde est en pleurs, et les parents du bambin ne sont pas les moins émus...

On saisit dès lors le sens de ses propos sibyllins : « On m'a mouillé le ventre, et puis je suis mort. » Monan Parmanand souffrait en effet de douleurs abdominales. Peu avant sa mort, on lui fera prendre un bain chaud...

Instituteur scalpé

Un instituteur de La Grange, petite localité du Texas, s'en va un beau matin, avec quatre compagnons, rendre visite à une amie, Mrs. Hornsby, qui vit dans une ferme, située grosso modo à l'emplacement actuel de la ville d'Austin. En chemin, ils sont attaqués par des Indiens. Deux d'entre eux sont tués. Blessé à la gorge, le malheureux Josiah Wilbanger, puisque tel est son nom, est dépouillé de tous ses vêtements, puis scalpé. Les autres s'enfuient sans demander leur reste...

Quand il revient à lui, gisant dans le froid au milieu des broussailles, il est dans un état lamentable, couvert de sang, le crâne à vif, la gorge entaillée... Mais il est vivant, et déterminé à rejoindre la ferme coûte que coûte... Il se remet donc en route en titubant, mais au bout de 500 mètres il s'écroule, et il perd de nouveau conscience. C'est alors que lui apparaît sa sœur...

« Reste où tu es. Tu n'as pas la force de marcher. Avant le lever du jour, on t'aura porté secours », dit-elle, avec un sourire triste, en s'éloignant vers la ferme...

Mrs. Hornsby, de son côté, passe une nuit épouvantable. Dès qu'elle se rendort, elle voit ce pauvre Josiah, qui gît sous un cèdre, nu comme un ver, le crâne et le torse ensanglantés... Il vit toujours, elle en est certaine. A telle enseigne que son mari organise des recherches le lendemain matin.

Les traces de sang conduiront directement à Josiah Wilbanger, effondré au pied d'un cèdre... Doté d'une robuste constitution, et veillé par son entourage, il se remettra vite de ses émotions. L'histoire ne dit pas s'il s'est acheté une perruque...

Et c'est ainsi que le Texas reconnaissant dressera un monument à la mémoire de cette dame, dont les cauchemars sauvèrent la vie à un instituteur scalpé, tout nu dans la forêt...

La Tombe nue

Au début du XIXe siècle, un jeune Anglais, John Davies, s'engage comme ouvrier agricole dans une ferme du pays de Galles, située sur la commune de Montgomery et tenue par une veuve. Erreur funeste, qui lui coûtera la vie...

Un beau jour, il est abordé en pleine rue par deux hommes du village qui en veulent à son porte-monnaie. Il se défend, et une bagarre éclate. Non contents de le rouer de coups, ses agresseurs vont ensuite l'amener à Welshpool, le chef-lieu de canton, en l'accusant carrément de les avoir attaqués!

Les Anglais n'étant guère en odeur de sainteté au pays de Galles, le malheureux garçon sera condamné à mort, le 6 septembre 1821, pour « brigandage ». Comme on lui passe la corde au cou, il interpelle la foule et proclame que l'on va commettre une épouvantable erreur judiciaire. « Avant de mourir, lance-t-il, je prie le Ciel qu'il ne pousse jamais d'herbe sur ma tombe, en signe de mon innocence. »

John Davies sera inhumé au cimetière de Montgomery, derrière l'église. Selon la tradition, les tombes, marquées par des stèles discrètes, sont recouvertes de gazon. Sauf la sienne. Rien n'y pousse. La pelouse rapportée meurt sur pied, et les semis ne lèvent pas...

Une trentaine d'années plus tard, le cimetière va faire l'objet d'une toilette générale. On va épandre du terreau et semer du gazon. Une superbe pelouse va sortir de terre, et orner de vert tendre la dernière demeure des défunts. Seule fait tache une parcelle, totalement stérile, quoi qu'on fasse, symbole visible et silencieux de l'innocence assassinée...

Qui a vraiment découvert l'Amérique ?

La découverte remonte à 1921. Edwin Hummel, qui pêche sur les bords du Susquehanna, en Pennsylvannie, remarque soudain au fond de l'eau un petit objet couvert de signes bizarres. Il s'avère vite que ce n'est pas une pierre, mais une tablette d'argile. Notre pêcheur se contente de la ramasser et de la ranger dans un coin. Il faudra attendre trente-sept ans pour que, pressé de questions par son petit-fils, Edwin Hummel se décide enfin à l'envoyer pour examen au musée de Chicago...

Trois archéologues vont l'étudier, et traduire les inscriptions. Il s'agit des modalités d'un prêt consenti 1800 avant J.-C à un marchand assyrien. Comment pareil document a-t-il pu atterrir au fond d'une rivière de Pennsylvanie ? Mystère.

C'est d'autant plus troublant que cela s'inscrit dans une longue série de découvertes « exotiques » aux États-Unis, qui laissent penser qu'un tas de gens se seraient rendus en Amérique, bien longtemps avant Christophe Colomb, ou même les Indiens...

Exemple, ce fermier du Tennessee, J.H. Hooper, qui trouve un jour une pierre portant d'étranges inscriptions. Il fouille, il en déterre d'autres, et il tombe alors sur un mur entier couvert de signes cabalistiques, de chiffres, et d'images d'animaux. A l'Académie des sciences de New York, on admettra sans conteste la présence de nombreux signes cunéiformes, mais l'on n'y verra toutefois qu'« une coïncidence fortuite »...

Des témoins au-dessus de tout soupçon

Quand des adolescents, ou bien un routier fatigué, affirment avoir vu une « soucoupe volante », on met généralement cela sur le compte d'une imagination débordante. Mais lorsque ce sont trois astronomes distingués qui observent un OVNI, tout est différent...

Le 30 mai 1963, un quotidien australien, le *Daily Herald*, annonce en gros titres : « Trois astronomes aperçoivent une soucoupe volante ! » L'article précise qu'il s'agit du « témoignage le plus solide recueilli jusque-là ». Le professeur Bart Bok, connu dans le monde entier pour ses travaux sur la Voie lactée, ainsi que H. Gollow, astronome en titre à l'observatoire du mont Stromi, et une jeune assistante, Miss M. Movat, remarquent soudain, peu avant 7 heures du soir, un objet rougeoyant dans le ciel, pratiquement au-dessus d'eux...

Ils vont le suivre pendant une minute, comme il fait route vert l'est à vive allure – trop vite en tout cas pour être un ballon, mais aussi trop lentement pour une météorite, laquelle laisserait également une traînée lumineuse derrière elle...

A cette altitude, sous les nuages, il ne pouvait pas non plus s'agir d'un satellite. D'ailleurs, il n'y en avait pas au-dessus d'eux à ce moment-là. Le contrôle aérien, quant à lui, ne détectera rien de suspect dans les parages à l'heure dite...

La « chose » brillait de sa propre lumière, ce n'était pas seulement un reflet du soleil. Nos trois astronomes en concluront donc qu'elle était « à coup sûr l'œuvre de l'homme ». Soit. Mais quel genre d'individus peut bien avoir conçu pareil engin ?...

Prémonitions

La mort prévient-elle parfois avant de frapper ? Oui, sous forme de prémonition...

Cela arrive à des tas de gens. Prenons d'abord l'exemple d'Eugene Bouvee, un homme de trente ans. Pourquoi soudain, en février 1958, se met-il à penser sans arrêt à son vieil oncle, prénommé Eugene comme lui ? Il n'y a pourtant aucune raison de s'inquiéter, aux dernières nouvelles son aïeul était en pleine forme. Il n'empêche, Eugene Bouvee ne peut se déprendre d'un funeste pressentiment...

Il fonce à Flint d'un coup de volant. Pas moyen d'entrer dans la maison. La porte est verrouillée, et il s'en échappe de la fumée. Il l'enfonce, mais les flammes l'empêchent d'avancer. Les pompiers arrivent peu après, mais il est trop tard : l'oncle Eugene gît, inanimé, dans la salle de bains...

Toujours dans le même ordre d'idée, un pilote de ligne annonce un jour à ses parents qu'il va bientôt mourir. Il en est tellement sûr qu'il confie sa Bible à sa mère, en disant : « Nous ne nous reverrons plus, mais tu seras informée de ma disparition. »

Deux jours plus tard, ces braves gens apprennent avec horreur que l'avion de leur fils s'est écrasé dans le Wyoming, avec soixante-six personnes à bord...

A l'inverse, il peut être salutaire d'avoir le pressentiment de la mort, car cela permet dans certains cas d'éviter in extremis une catastrophe. Fred Trusty, de Painesville, dans l'Ohio, en sait quelque chose. Un jour, comme il est en train d'aménager un petit chemin en escalier devant sa maison, il est saisi d'une

« drôle d'impression ». Il pose sa pelle et il se retourne, mais il ne voit rien d'anormal; juste quelques rides sur la mare – sans doute des rats musqués qui prennent un bain... Notre homme se remet au travail, mais de nouveau il éprouve la même sensation étrange. Il jette un autre coup d'œil derrière lui, et cette fois il voit flotter une casquette de petit garçon à la surface du plan d'eau!

Il se précipite, plonge dans la mare, et sauve in extremis de la noyade le petit Paul, son fils de deux ans...

Où sont passés les bras de la « Vénus de Milo » ?

C'est en 1820 que l'on découvre sur l'île grecque de Milo la fameuse Vénus, dite à ce titre « de Milo ». Magnifique exemple de la statuaire classique, l'illustre déesse accueille désormais les visiteurs au musée du Louvre. Comme tout chacun sait, elle n'a point de bras, ce qui amène à se demander si à l'origine elle tenait quelque chose, et quoi...

Au départ, lorsqu'on la trouve, elle est intacte. C'est un paysan de Milos qui la sort d'un trou creusé dans son champ, sans doute sur l'emplacement d'une villa ou d'un temple. Il la ramène avec lui et la cache dans sa grange, où il vient l'admirer le soir après son travail. Il y passera d'ailleurs tellement de temps que sa femme croira qu'il la trompe, et elle sollicitera l'aide d'un prêtre. Lorsque celui-ci découvre le pot aux roses, l'épouse jalouse pousse un ouf de soulagement, mais le secret est désormais éventé, et tout le monde est bientôt au courant...

Puissance occupante, la Turquie envoie des soldats récupérer la merveille. De son côté, Louis XVIII dépêche un vaisseau pour ramener en terre de France cet objet de prestige. S'ensuit un affrontement, au cours duquel les Grecs tentent de s'enfuir par la mer avec leur précieux fardeau. Dans l'affolement, ils perdent les bras de la statue... Ce seront finalement les Français qui leur mettront le grappin dessus ; et voilà pourquoi la *Vénus de Milo* symbolise, avec *la Joconde*, le musée du Louvre...

Le mystère des bras de la *Vénus de Milo* est donc postérieur à sa découverte. On conserve d'ailleurs un croquis de la statue entière, réalisé avant la confrontation entre Turcs, Grecs et Français. De la main droite, elle retient le dernier pan de sa robe, et dans l'autre elle garde une pomme, la pomme de discorde, évoquant la légende d'Hélène et de la guerre de Troie...

Pour un archéologue, ce serait une aubaine que de retrouver les bras de la *Vénus de Milo*. L'un d'eux, plongeur émérite, et dénommé Jim Thorne, va ainsi explorer dans les années 50 les fonds marins censés abriter les membres perdus de la déesse. Le premier jour, il remontera tout excité, après avoir aperçu ce qui ressemblait à des bras fichés dans le sable. En fait, ce n'étaient que des branches décolorées par l'eau de mer. Les bras de la *Vénus de Milo* demeureront introuvables...

Pourtant, il ne fait aucun doute qu'ils reposent quelque part là-bas, au large de l'île de Milo...

Qui l'a tué ?

Le 12 octobre 1907, Mrs. Sutton annonce à son mari qu'elle vient d'être frappée d'une terrible prémonition. « J'ai entendu comme une détonation, puis c'est comme si j'avais pris un grand coup sur la tête, et je me suis sentie vaciller. Je ne sais pas pourquoi, mais je suis sûre qu'il est arrivé quelque chose à Jimmy, quelque chose d'affreux... »

A 2 heures du matin, un coup de fil leur apprend la mort de leur fils : le lieutenant Jim Sutton se serait suicidé, à la suite d'une rixe avec deux autres officiers, comme lui passablement éméchés...

Seulement, voilà : à peine a-t-elle raccroché, nous dit Mrs. Sutton, que son fils lui apparaît, pour démentir formellement la version de l'affaire. Il ne s'agit pas d'un suicide, mais bel et bien d'un assassinat. « Ils m'ont battu à mort. Je n'ai compris vraiment qu'en arrivant au Paradis... »

Même chose quatre jours plus tard. Jimmy s'insurge une fois de plus contre la thèse officielle, selon laquelle il se serait donné la mort. A preuve, il a, explique-t-il, le front tuméfié, et la mâchoire abîmée, détails curieusement passés sous silence dans le rapport des autorités militaires...

A la demande expresse des Sutton, on procède à une exhumation : le corps présente bien les marques en question. Jim Sutton a été violemment frappé. Comment, du reste, aurait-il pu se suicider avec son arme de service, alors que la balle est entrée par le sommet du crâne ? D'ailleurs, l'expertise balistique établit qu'elle n'a pas été tirée avec son pistolet, contrairement à ce qui avait d'abord été dit...

Le meurtre ne faisant désormais plus de doute, la justice ouvre une enquête...

Erreur judiciaire

Au début de l'automne 1921, un médium de Minneapolis, O. Ostby, rentre en contact, lors d'une séance de spiritisme, avec une jeune fille éplorée. Disparue dans des circonstances tragiques, elle aimerait que l'on prévienne ses parents, qui croient sans doute qu'elle est partie courir l'aventure... Mais avant tout, il faudrait avertir la police.

Sitôt dit, sitôt fait. Le lendemain même, notre spirite écrit au commissaire, qui lui apprend par retour de courrier que la malheureuse Edan Ellis a bien, hélas, été assassinée, par son ami, de surcroît, lequel purge une sentence de réclusion à perpétuité au pénitencier de l'État du Missouri...

La jeune fille se manifeste de nouveau au cours de la séance suivante, cette fois pour demander que l'on innocente ce cher George, victime d'une horrible méprise : elle l'a toujours appelé George, bien que son nom véritable soit Albert-George.

Le procès sera révisé en 1922, et Albert-George retrouvera l'honneur, et la liberté. Il n'aura guère le temps, hélas, d'en profiter, car il sera écrasé, quatre ans plus tard, par un camion. Le 16 octobre 1928, Edan Ellis annonce à O. Ostby que George et elle sont enfin réunis...

Dédoublement de personnalité

Il est techniquement possible de se trouver à deux endroits en même temps. Ainsi du moins en a conclu un jury new-yorkais, le 8 juillet 1896.

On juge une affaire de vol. William MacDonald est accusé d'avoir cambriolé une maison à Manhattan, sur la Deuxième Avenue. Malgré ses protestations d'innocence, six personnes déclareront à la barre l'avoir vu en train d'emballer son butin devant une fenêtre. Parvenant d'abord à s'échapper, à la faveur d'une bousculade, William MacDonald sera vite identifié et arrêté.

Il va pourtant recevoir un secours inattendu, en la personne du professeur Wein, un médecin connu pour pratiquer l'hypnotisme. Ce dernier va créer la surprise en affirmant qu'à l'heure du délit, l'accusé participait, devant des centaines de gens, à une séance d'hypnose organisée dans un théâtre de Brooklin...

Le professeur Wein jure devant la cour qu'il s'agit bien du même homme. Il s'en souvient d'autant mieux que William MacDonald s'est montré alors un excellent sujet, très coopératif. « Je n'ai eu aucune peine à le plonger en catalepsie, autrement dit dans un état où il ne ressentait que ce que je lui commandais, explique-t-il. – Se pourrait-il, alors, demande un avocat, que l'esprit de ce monsieur ait quitté son corps, alors qu'il était sous hypnose ? – Parfaitement », répond le professeur Wein.

Après l'audition des témoins, le jury acquittera le prévenu, estimant qu'en la matière tout le monde disait vrai – et que William MacDonald se trouvait donc à la fois dans un théâtre de Brooklyn et à 8 kilomètres de là, en train de cambrioler une maison...

Spatioports

Si un jour les extraterrestres daignent se faire connaître, ils auront la ressource de se poser en des endroits spécialement aménagés à leur intention par des gens qui les attendent avec impatience...

En 1973, un officier des marines en retraite songe à installer en plein air des répliques de soucoupes volantes, de manière à attirer d'éventuels visiteurs de l'espace. Faute d'argent, son projet tombe à l'eau, mais l'idée sera reprise par une association, The New Age Foundation (la Fondation pour les temps nouveaux), sous l'égide de laquelle on construira bien en 1980 une telle piste d'atterrissage « spéciale OVNI ». Couvrant 6 hectares dans le massif du Mont-Rainer, au cœur de l'état de Washington, au nord-ouest des États-Unis, on l'a baptisée « Spaceport Earth » (Spatioport Terre).

Signalons également une réplique, dans le sud de la Californie, due elle aussi à des fanas des OVNIS. Située dans la vallée de Lawson, non loin de San Diego, elle est la propriété de Mrs. Ruth Norman, présidente de l'Unarius Education Foundation (Fondation pour une éducation globale), laquelle se dit persuadée que des vaisseaux spatiaux stationneront bientôt sous ses fenêtres...

Pauvres Zombies!

Les zombies font le plus souvent figure de créatures imaginaires, inventées par les films d'horreur. A voir... Car en Haïti, on ne plaisante pas avec les histoires de morts vivants. C'est même un crime, au regard du code pénal, que de transformer quelqu'un en zombie... Pour avoir lui-même suivi trois cas de cette espèce dans sa clinique, Lamarque Doyon, grand responsable de la psychiatrie dans son pays, ne doute plus une seconde de l'existence des zombies...

Vingt ans durant, il s'est attaché à démontrer que le vaudou, sous toutes ses formes, n'était qu'une imposture. Puis on lui a amené ces trois personnes... Le scénario est le suivant : droguées, probablement à l'aide d'une préparation à base de datura, elles sombrent dans un coma si profond qu'il ressemble à la mort. On les enterre. Les sorciers reviennent ensuite les chercher, et ils les raniment...

Ces gens sont alors totalement sous la coupe de leurs mauvais génies, qui leur administrent quotidiennement leur dose de poison. Quelques-uns réussissent à s'échapper. Deux d'entre eux sont actuellement dans l'établissement dirigé par Lamarque Doyon, à Port-au-Prince, où l'on cherche à comprendre le phénomène des morts vivants...

Des os et des molécules

D'une même souche ont divergé, voilà à peu près vingt millions d'années, deux rameaux, qui allaient par la suite donner naissance à l'homme et au singe. Ces deux-là sont donc bien des cousins. Pendant longtemps, la différence reste d'ailleurs toute théorique, si l'on songe qu'il y a seulement quatre millions d'années, ils avaient encore pratiquement le même patrimoine génétique.

Et si la séparation était beaucoup plus récente ? Deux écrivains anglais, passionnés de paléontologie, Jeremy Cherfas et John Gribbin, estiment qu'elle ne remonte pas à plus de trois ou quatre millions d'années, lorsque les primates bipèdes se sont scindés en deux groupes, ceux des plaines, qui deviendront peu à peu les hommes, et les autres, vivant dans les arbres, qui régresseront lentement à un stade antérieur, et donneront au bout du compte les grands singes (chimpanzés, gorilles, orangs-outans).

Sans prétendre bouleverser de fond en comble le schéma de l'évolution, ces deux auteurs entendent toutefois lui apporter certains correctifs, au regard des découvertes de la biologie génétique, trop souvent négligées par les paléontologues, qui ont, hélas ! tendance à s'en tenir à l'étude des ossements ou des morceaux de squelette...

Le Monstre du Chesapeake

Il n'y a pas que dans le loch Ness que l'on aperçoit régulièrement une espèce de dinosaure aquatique. Aux États-Unis aussi, on signale une créature marine dans la baie de Chesapeake, à l'embouchure du Potamac – on l'a même filmée...

Le 31 mai 1982, peu avant le crépuscule, Bob et Karen Frew et les invités remarquent une forme noire qui se déplace dans l'eau. Bob saute sur sa caméra vidéo, et il immortalise les évolutions d'une sorte de gros serpent d'une dizaine de mètres de long, avec une tête bossue.

Des spécialistes du célèbre Smithsonian Institute visionneront la bande. George Zug, directeur du département de zoologie au Muséum d'histoire naturelle de Washington, en conclura pour sa part qu'il ne s'agit pas d'un tronc d'arbre ou d'une simple illusion d'optique. « C'est très intéressant », déclarera-t-il prudemment, sans se prononcer plus avant sur la nature de cette « chose »...

Mike Frizelle et Bob Lazarra, membres actifs d'Enigma, une association spécialisée dans l'étude des phénomènes bizarres, vont comparer entre eux tous les témoignages, dont celui de Bob Frew, concernant cette bête mystérieuse. « Si l'on parvenait à savoir ce que c'est, il n'y aurait plus qu'à aller la chercher », déclarent-ils.

« Auparavant, cette histoire prêtait à rire. Mais avec ce film, plus personne ne doute désormais qu'il y a quelque chose », concluent-ils.

Univers intelligent

Peu importe qu'il existe ou non, à l'heure actuelle, d'autres êtres intelligents que nous dans l'univers. Ce qui compte, explique une paléontologue canadienne, Dane Russell, c'est qu'il peut en apparaître « en une fraction de seconde, à l'échelle du cosmos ».

Il faut pas oublier que l'évolution se traduit toujours par un développement constant de la boîte crânienne, et par voie de conséquence du cerveau, et de l'intelligence. L'homme est concerné au premier chef, mais aucune espèce animale n'échappe à la règle. Rien ne dit qu'il ne se passe pas la même chose ailleurs. « L'intelligence, c'est un peu comme une pâte qui lève, lentement », précise-t-il en s'aidant d'une métaphore.

Si l'histoire nous dit que les civilisations sont mortelles, la biologie, en revanche, nous apprend que la vie et l'intelligence sont le fruit d'un processus inexorable : une fois qu'il est engagé, rien ne l'arrête. A supposer, par exemple, que l'homme vienne à disparaître de la surface de la planète, une autre espèce animale prendrait certainement sa place, explique Dane Russell. Déjà, souligne-t-il, le dauphin, l'éléphant et le perroquet ont un cerveau aussi développé que celui de nos lointains ancêtres...

Il n'y a donc pas lieu de croire que nous soyons seuls dans la galaxie, où les conditions propices à l'éclosion de la vie ont dû se trouver réunies des milliers, voire des millions de fois...

Les Droits constitutionnels des extraterrestres

A une époque où fleurissent plaintes et procès en tout genre, le Pentagone va faire l'objet, en 1983, d'une assignation en *habeas corpus* (disposition légale prévalant dans les pays anglo-saxons, qui exige la comparution sans délai d'un détenu devant le juge) requise auprès de la Cour suprême de Washington D.C. par un certain Larry Bryant, résidant à Alexandria, en Virginie, le sommant de produire sous deux mois les corps des pilotes (sans doute des extraterrestres) des OVNIS qui se seraient écrasés récemment dans le Nouveau-Mexique...

Ce seraient des interférences avec un radar au sol qui auraient apparemment détraqué le système de bord des OVNIS. Chaque soucoupe volante aurait compris un équipage de trois anthropoïdes, vêtus de combinaisons métalliques. Excipant de ses droits de citoyen, Larry Bryant veut attirer l'attention des magistrats sur le fait qu'il y aurait peut-être des survivants, retenus contre leur gré, et au mépris des droits qui leur sont garantis par la Constitution des États-Unis... Depuis lors, cette affaire que Henry Catto, porte-parole du Pentagone, a qualifiée « d'histoire de Martiens », n'a toujours pas donné de suite...

Les Dinosaures et la gravité terrestre

Un ingénieur anglais de l'Aérospatiale, John Ferguson, qui travaille à Sheffield, se dit persuadé que la gravité terrestre est fonction des corps célestes rencontrés par notre planète dans la Voie lactée. Longtemps négligées, ces variations gravitationnelles permettraient, selon lui, d'expliquer l'extinction des dinosaures...

« Lorsque la gravité augmente, note-t-il, tout pèse plus lourd. » Pour que des animaux aquatiques apparus en période de faible gravité puissent changer de milieu et vivre sur la terre ferme, il faut donc absolument que la gravité diminue.

« Les dinosaures, qui ont proliféré à une époque où la gravité était faible, ont périclité au fur et à mesure où celle-ci a augmenté, leur poids relatif s'accroissant d'autant », explique John Ferguson, qui ajoute que pareille élévation de la gravité terrestre a dû s'accompagner d'une intensification de l'activité solaire – faute de quoi le soleil se serait effondré sur lui-même, « écrasé » par la terre – laquelle s'est traduite à son tour par un afflux de rayons ultraviolets, supplantant le rayonnement infrarouge à la surface de la planète, qui s'est ainsi refroidie...

En conséquence, la végétation tropicale a disparu, et avec elle la nourriture des dinosaures, lesquels sont morts de faim, et probablement aussi des cancers, causés par le bombardement intense de rayons ultraviolets...

Suicide solaire

Soleil, symbole de joie et d'espérance... Mais pour un chômeur de Seattle, l'aube, un jour, sonne le glas. Il suffira d'un engin suicide à déclenchement solaire pour transformer la douce lumière printanière en rayon de la mort...

Robert Taylor possède des notions d'électronique : il a suivi des cours par correspondance. Un beau matin (ça se passe au milieu des années 80), il décroche le téléphone pour annoncer à sa femme, dont il vit séparé, son intention de se suicider. Il s'est barricadé dans une chambre d'hôtel, et il aimerait revoir une dernière fois sa petite fille avant d'en finir. Lors de leur rencontre, il expliquera qu'il a mis au point un dispositif infaillible pour se donner la mort, composé d'une cellule solaire, d'un accumulateur, et d'une charge explosive...

Le lendemain, nouveau coup de fil, pour annoncer que l'échéance approche. Sa femme prévient alors la police, qui entre en scène peu après minuit. On tente de le raisonner par téléphone. On est optimiste. Les agents se disent persuadés qu'il finira par sortir. Mais aux premières lueurs du jour, on entend une sourde déflagration. Quand on enfonce la porte, il est trop tard : Robert Taylor s'est suicidé...

Il gît sur une chaise, les jambes posées sur le lit, en face. Au bord de la fenêtre, une cellule solaire : c'est elle qui a déclenché la mise à feu de la petite bombe qu'il tenait serrée contre son cœur...

« On ne saura jamais, conclut le rapport officiel, s'il avait l'intention de se rendre, ou bien simplement d'attendre le lever du jour... »

Le Satellite en trop

En juillet 1960, la revue *Newsweek* signale qu'il y a un objet en trop en orbite autour de la terre. Outre les 13 satellites (11 américains et 2 soviétiques), qui gravitent au-dessus de nos têtes, le National Surveillance Center, dont les radars scrutent en permanence la banlieue de la planète, en aurait détecté un quatorzième... D'où peut-il bien venir ?

« De l'espace, pardi, sans doute envoyé par une autre civilisation de la Voie lactée, soucieuse d'explorer cette partie de la galaxie », explique le journaliste, citant les conclusions des experts.

Y aurait-il, par hasard, un lien avec l'OVNI aperçu le 18 décembre 1957 ? Ce soir-là, au Venezuela, un responsable du ministère des Télécommunications, Luis Carrales, prend une photo du fameux Spoutnik II soviétique. A sa grande stupeur, il distingue ensuite un second objet sur le cliché...

Oui, en plus du satellite russe, on voit un OVNI, matérialisé par une traînée lumineuse, le temps de pose n'étant pas adapté. De l'avis des spécialistes qui l'ont examiné, il ne s'agit ni d'une étoile, ni d'une météorite, mais bien d'un engin spatial de nature inconnue, capable en effet de dévier de l'orbite du Spoutnik, puis de la rejoindre...

Une bombe à la maison

L'histoire est à peine croyable : pendant vingt ans, une femme, en Russie, a dormi avec une bombe sous son lit ! l'engin viendra s'encastrer dans le plancher en 1941, durant la Seconde Guerre mondiale. Comment Zina Bragantsova fera-t-elle pour vivre tout ce temps en sa compagnie ? Personnellement, elle n'aurait pas demandé mieux que d'en être débarrassée. Seulement voilà, elle se heurtera à l'incrédulité générale. On ne la prendra pas au sérieux, avec son histoire de bombe, tant et si bien qu'elle n'aura d'autre choix que de masquer avec son lit le trou béant au milieu de la chambre. En ville, raconte le magazine soviétique *Literatournaïa Gazeta*, tout le monde se gausse de la « mémé à la bombe ». Quant aux autorités, elles la soupçonnent purement et simplement d'avoir inventé cette fable dans le but d'obtenir un nouveau logement...

On finira tout de même par s'intéresser à son cas. Avant de poser de nouveaux câbles téléphoniques, on s'assure que l'endroit ne recèle aucun projectile non explosé datant de la guerre. Cette fois, on daigne accéder à la requête de la vieille dame, et inspecter son appartement. « Alors, grand-mère, elle est où, cette bombe ? Sous votre lit, à ce qu'il paraît ?... » raille un jeune lieutenant. « Exactement », répond Zina Bragantsova. Stupeur de l'équipe de déminage, quand on découvre effectivement une bombe de 250 kilos ! Il faudra évacuer tout le quartier avant de la faire sauter, et le domicile de la vieille dame avec...

La *Literatournaïa Gazeta* précise que celle-ci sera relogée dans un cadre moins... explosif !

Technologie spatiale

Les sceptiques prétendent qu'en vertu des lois de la physique il est impossible, aux hommes comme aux extraterrestres, de franchir en vaisseau spatial les distances vertigineuses qui séparent les divers systèmes solaires.

Un ancien expert-consultant auprès de la Nasa, Freeman Dyson, qui travaille actuellement à l'Institut de recherches avancées de Princeton (Princeton Institute for Advanced Studies), s'inscrit en faux contre cette idée. « Il y a de fortes chances, déclare-t-il, pour qu'il existe d'autres espèces qui s'aventurent dans l'espace intersidéral, jusqu'aux confins de l'univers. »

Quant à la technique requise pour réaliser de tels exploits, on la connaît. Il y aurait en fait plusieurs moyens d'envoyer des engins habités vers les étoiles ; en dirigeant, par exemple, soit un rayon laser à haute fréquence, soit un flux de particules lumineuses, sur une sorte de « voile », ou bien en utilisant un « générateur » orbital de type électromagnétique, capable d'imprimer une accélération prodigieuse au véhicule...

Moyennant quoi, en se déplaçant à la moitié de la vitesse de la lumière, il faudrait moins de neuf ans, calcule Freeman Dyson, pour qu'un équipage – disons de trois personnes – établisse le contact avec nos voisins de la constellation la plus proche...

A la mémoire d'Edgar Poe

Qui s'étonnerait que l'anniversaire de la mort d'Edgar Poe, prince du macabre et maître du fantastique, donne lieu chaque année à un cérémonial étrange ? Depuis 1849, quelqu'un vient en effet déposer ce soir-là un verre de cognac et un bouquet de roses sur sa tombe, dans le cimetière de Westminster, à Baltimore...

Intrigué par ce curieux manège, Jeff Jerome, le conservateur du musée dédié à l'écrivain (et installé dans sa demeure), mène sa petite enquête. Avec un petit groupe d'admirateurs d'Edgar Poe, il fait le guet cette nuit-là dans le cimetière. Vers 1 h 30 du matin, on entend grincer le portail... Une ombre furtive glisse dans l'allée, mais elle s'enfuit précipitamment dès que l'on braque une lampe dans sa direction...

Jeff Jerome jure néanmoins qu'il s'agissait d'un homme tenant en main une canne à pommeau doré, tout comme jadis Edgar Poe. « Avant de disparaître, raconte-t-il, il l'a brandie triomphalement dans notre direction... »

Almas, ou Yétis ?

On signale régulièrement la présence d'hommes-singes dans le massif du Hubei, en Chine. Couverts de poils bruns, et mesurant plus de 2 mètres de haut, ils vivraient dans les arbres, et ils se nourriraient de plantes et de larves. Pacifiques à l'occasion, telle cette femelle rencontrée avec son petit au détour d'une colline, il leur arriverait également de s'en prendre à l'homme, et l'on raconte qu'un paysan a dû sortir son poignard pour repousser un mâle furieux...

Au dire de deux savants chinois, Yan Shenzin et Huang Wanpo, il s'agit sans doute de descendants du fameux Gigantopithecus, un immense primate anthropoïde, disparu officiellement depuis des millions d'années, et lointain ancêtre des hommes et des singes. A l'appui de leur thèse, ils rappellent, dans le journal *Hua Shi*, que l'on a découvert quantité d'ossements de Gigantopithecus dans la région...

Mais ce n'est pas ce que prétend la tradition. D'après la légende, une partie de la population aurait jadis refusé de participer à la construction de la Grande Muraille, sous le règne de l'empereur Qin Shi Huang-Ti. Réfugiés dans la montagne, coupés du monde, ces gens auraient alors peu à peu régressé à l'état de bêtes, « désévoluant » en quelque sorte, pour devenir au bout du compte des hommes-singes...

Découverte rêvée

Dans son livre, *Recherches sur les poissons fossiles*, Louis Agassiz, un savant du XIXe siècle, raconte que c'est un rêve qui l'a mis sur la voie de l'une de ses plus importantes découvertes.

Des semaines durant, il essaiera en vain de relever l'empreinte, à peine perceptible, d'un poisson fossile moulé dans la roche. Il finira par ranger le spécimen dans un coin et il passera à autre chose.

Le surlendemain, il va voir clairement en rêve, au cours de la nuit, le poisson vivant... Il se réveille. L'image est bien présente à ses yeux. Mais quand il regarde la pierre, tout se brouille...

Le même rêve va revenir, et au matin il va de nouveau tenter de distinguer la silhouette en question sur le morceau de roche, sans plus de succès qu'auparavant...

Pour parer à toute nouvelle apparition du poisson lors de son sommeil, il va déposer ce soir-là un bloc et un crayon sur sa table de nuit. L'animal sera au rendez-vous. Cette fois, Louis Agassiz se réveillera à temps pour en tracer un croquis.

Chose surprenante, le dessin révèle des détails invisibles sur le fossile. Louis Agassiz va s'en inspirer pour tenter de dégager l'animal de sa gangue. Sous une fine pellicule de sédiments va alors se dessiner en relief la silhouette d'un poisson préhistorique, d'une espèce inconnue jusque-là...

Retour en arrière

Un anthropologue français, Joseph Mandemant, se retrouve une nuit en rêve à l'entrée de la grotte de Bedeilhac, dans le Périgord. Des hommes du Magdalénien (soit de la dernière période du Paléolithique supérieur) y sont rassemblés autour d'un grand feu. Des scènes de chasse décorent la voûte. Un peu à l'écart, se tient un jeune couple...

Les deux tourtereaux passent bientôt dans la caverne voisine, pour faire l'amour, sur une espèce de corniche rocheuse. Leur idylle, hélas! va tourner court, car la caverne entière s'effondre sous un éboulement...

Son rêve est si précis que Joseph Mandemant décide de le consigner par écrit, puis de se rendre sur les lieux. Tout est bien tel qu'il l'a vu en songe – à l'exception de la « chambre » des amoureux, barrée par une paroi de granit...

Y aurait-il par hasard quelque chose derrière? Apparemment oui, car la roche sonne creux. Il faudra quand même plusieurs jours pour y percer un trou. Joseph Mandemant reconnaîtra alors parfaitement l'endroit, y compris la petite saillie rocheuse...

Aucune trace, par contre, de nos deux amants préhistoriques... Un examen minutieux de la grotte permettra d'établir que l'éboulement a laissé à l'époque une ouverture par laquelle ils ont dû s'échapper...

Et s'il ne s'agissait pas d'une coïncidence? Tout indique, en effet, que Joseph Mandemant a bel et bien effectué un voyage dans le temps, et qu'il a réellement assisté à une soirée remontant à plus de quinze mille ans. Les scènes de chasse, peintes sur les murs sont celles-là mêmes qu'il a vues l'autre nuit, en songe...

Double Avertissement

Un riche Anglais, connu sous le nom de John Williams, fera trois fois le même rêve, dans la nuit du 3 mai 1812. Lui que la politique n'intéresse guère, va voir un individu de petite taille vêtu d'un manteau vert sombre abattre le Premier ministre, Spencer Perceval, d'un coup de pistolet, en plein milieu du vestiaire de la Chambre des communes. Troublé, il songe d'abord à avertir l'homme d'État du danger qui le guette, mais en butte aux railleries de son entourage, il renonce à son projet...

Spencer Perceval aura néanmoins vent des détails de ce cauchemar, pour avoir fait exactement le même quelques jours plus tard. Ainsi qu'il le dira à sa famille au matin du 11 mai, il a rêvé cette nuit-là qu'un détraqué lui tirait dessus dans les couloirs de la Chambre. Son agresseur portait un manteau vert olive, fermé par des boutons dorés...

Refusant d'écouter ses proches, qui l'adjurent de rester chez lui ce jour-là, Spencer Perceval, en Premier ministre responsable qu'un mauvais rêve ne saurait distraire de ses fonctions, va se rendre comme tous les matins à la Chambre des communes. Comme il traverse la salle des pas perdus, un inconnu, portant un manteau vert bouteille avec des boutons dorés, l'assassine d'un coup de pistolet...

Mick à la rescousse

Aujourd'hui, Percy le chihuahua gambade joyeusement dans la propriété de sa maîtresse, en Angleterre. Pourtant, sans l'intervention d'un autre chien, il aurait été enterré vivant...

Le petit animal s'échappe un jour sur la route, et il se fait renverser par une voiture. « On ne sentait plus son pouls, il avait le regard fixe et inexpressif », raconte Christine Harrison.

Persuadée que ce pauvre Percy est mort, Christine laissera à son père le soin de l'ensevelir au fond du jardin, enveloppé dans un sac en papier.

Mais voilà, Mick, le terrier de ses parents, va rester obstinément campé sur la tombe du chihuahua. Mieux, il va carrément l'exhumer, toujours roulé dans son papier d'emballage. Chose incroyable, il avait donc senti que Percy était toujours vivant...

« Mon chien revient de loin », explique Christine Harrison. Son cœur continuait en effet à battre, imperceptiblement. D'après le vétérinaire chez qui on le transporte d'urgence, c'est l'air contenu dans le sac qui lui a permis de survivre. D'autre part, en le léchant, Mick a aidé à faire revenir la circulation dans son corps...

Sa bravoure vaudra à Mick les honneurs de la Société protectrice des animaux (Royal Society for the Prevention of Cruelty to Animals). Reste que Christine Harrison ne comprend toujours pas ce qui lui est passé par la tête. Percy et lui se détestaient cordialement, et de ce côté-là, rien n'a changé...

Les Martiens arrivent!

A l'époque, la télévision n'existe pas encore. C'est donc une émission de radio qui va créer l'événement, en ces temps de crise. Nous sommes en 1938, juste après les accords de Munich, où la France et l'Angleterre ont cédé devant Hitler. L'Allemagne et l'Italie font entendre des bruits de bottes, la menace de guerre se précise chaque jour...

S'inspirant de l'œuvre de H.G. Welles : *La Guerre des mondes*, les journalistes vont diffuser en direct un faux reportage, commentant minute par minute l'invasion de la Terre par les Martiens. Le hic, c'est qu'au micro, l'acteur Orson Welles se montrera si convaincant que, malgré toutes les précautions d'usage, le reportage va semer la panique : avec de « gigantesques tours téléguidées lançant des rayons de la mort », les extraterrestres balaieraient tout sur leur passage, civils et militaires... Les gens se ruent sur le téléphone. La rumeur s'amplifie. Faute d'un démenti officiel, l'affolement gagne la population, qui se jette sur les routes, provoquant une cohue monstre à New York et dans sa banlieue. La paralysie sera bientôt totale, et il faudra des heures à la police pour rétablir une circulation normale...

D'ailleurs, des tas de gens resteront persuadés que les Martiens ont bel et bien débarqué, et qu'on leur cache la vérité...

Diffusée ultérieurement en espagnol, dans un cinéma de Lima, l'émission soulèvera une telle émotion dans le public que l'on dénombrera 15 morts et une multitude de blessés...

Deux ans plus tard, ce sera au tour de l'Europe de vivre des scènes de panique et d'exode – à la différence près que cette fois-ci les envahisseurs ne viendront pas de Mars...

Forte Personnalité

L'orage menace. Le roulement du tonnerre empêche Lulu Hurst, quatorze ans, et sa cousine de s'endormir. Elles dressent l'oreille : on frappe. Quelqu'un donne des petits coups dans le mur !

Les parents pensent tout d'abord qu'il s'agit d'un phénomène d'électricité statique, et tout le monde se recouche. Le lendemain soir, à la stupeur générale, le lit de la jeune fille est secoué dans tous les sens, et les coups dans le mur reprennent de plus belle...

Jusqu'alors, personne n'a fait le lien avec Lulu elle-même. Il faudra pour cela attendre la visite d'un proche de la famille. Quand elle l'invite à s'asseoir sur un siège, celui-ci se retrouve projeté à travers la pièce ! Deux messieurs ne seront pas de trop pour maîtriser l'objet, qui finit par se démantibuler...

Lulu s'enfuit en hurlant, terrorisée par la révélation de ses pouvoirs. Quinze jours plus tard, elle donne sa première séance publique...

« L'extraordinaire Lulu Hurst », comme on l'appelle dans les journaux, fait ses débuts dans sa ville natale, à Cedartown, vers la fin de l'été 1883. La salle est archi-comble, et tous les notables sont assis au premier rang...

Un homme robuste se porte volontaire. On lui donne un parapluie, qu'il étreint contre lui, bien campé sur ses jambes. Suffit-il alors que Lulu effleure l'objet pour qu'il soit agité de violents soubresauts, au point de faire tomber ce monsieur...

Pendant deux ans, Lulu Hurst multiplie les tournées à travers les États-Unis. Partout, elle fait salle comble.

Devenue une vedette, elle se produit devant les publics les plus divers, et elle laissera ainsi pantois un aréopage de professeurs de médecine, en balançant allègrement des individus aux quatre coins de la pièce. Même chose un peu plus tard au prestigieux Smithsonian Institute et à l'observatoire naval de Washington...

Personne n'y comprend rien. On parle bien d'une sorte de fluide électro-magnétique, mais tout cela reste très vague...

Après avoir amassé une coquette fortune, Lulu convole en justes noces, en emportant avec elle le secret de ses prodigieux pouvoirs. L'histoire n'a pas retenu le nom de son mari, mais en tout cas, il avait intérêt à bien se tenir...

Un demi-siècle de transe

Jusqu'à l'âge de vingt-quatre ans, Molly Francher, habitant le quartier de Brooklyn à New York, mène une vie sans histoires. Mais un beau jour, au début du mois de février 1866, elle est prise d'un malaise, et elle perd connaissance. Sa mère croit tout d'abord à une faiblesse passagère. Le médecin appelé à son chevet, le Dr Samuel Spier, diagnostiquera par contre un coma de type hypnotique, comme il n'en a encore jamais vu...

Les mois passent, et Molly reste toujours inconsciente. Le Dr Spier, qui examine régulièrement ce corps inerte, note que la température a chuté, que la respiration est presque inaudible, et le pouls extrêmement faible, voire inexistant par moments... Les nombreux confrères appelés en renfort s'avoueront également impuissants devant ce cas unique...

Neuf ans plus tard, le Dr Spier, qui suit toujours la patiente, observe à son sujet deux choses étonnantes : pendant tout ce temps passé en état de léthargie, elle ne s'est quasiment pas alimentée, au point de n'avoir absorbé que « la ration normale d'un adulte en deux jours ». En outre, elle manifeste maintenant des dons qu'il n'hésite pas à qualifier de « surnaturels »...

Il en établira la preuve devant plusieurs savants, dont deux neurologues de renom et un célèbre astronome, Richard Parkhurst. « Messieurs, annonce-t-il, cette jeune fille est capable de nous dire comment sont vêtus des gens qui se trouvent à des centaines de kilomètres, et ce qu'ils sont en train de faire. Mieux, elle peut lire des lettres cachetées, ou bien des livres fermés. »

Sceptiques, les deux neurologues ne s'en prêtent pas moins au jeu. Ils rédigent un petit billet qu'ils font porter sous triple pli cacheté au cabinet du Dr Spier, situé à l'autre bout de la ville. Le Dr Spier interroge Molly : elle voit, sous trois enveloppes, une feuille de papier, avec ces mots tracés : « Lincoln a été assassiné par un acteur fou »...

Poussant l'expérience, on va alors lui demander de parler du frère du Pr Graham, et d'expliquer ce qu'il fait en ce moment. Frank Graham, répond-elle, habite à New York, il manque un bouton à la manche droite de sa veste, et aujourd'hui il n'est pas allé travailler car il souffre de migraine. Un télégramme confirmera peu après ses dires...

Molly perdra sa mère, puis le Dr Spier. Elle restera en tout quarante-six ans dans le coma. En mai 1912, elle reprendra brusquement connaissance, sans plus d'explications. Elle s'éteindra au milieu des siens en avril 1915...

Vision aveugle

Les premiers Européens à avoir débarqué aux îles Samoa affirmeront, à leur retour, qu'il y a là-bas des aveugles capables de voir avec leur peau ! Cela passerait pour une histoire abracadabrante si l'on ne citait par ailleurs une foule de cas analogues...

Après la Première Guerre mondiale, un médecin français, Jules Romain, va étudier les facultés respectives des voyants et des non-voyants. Il découvre ainsi que, chez certaines personnes, la peau est par endroits photosensible. Reliée au système nerveux central, elle permettrait donc de « voir » sans l'aide des yeux...

Aux Indes, un dénommé Ved Mehta, qui a perdu la vue à l'âge de trois ans, des suites d'une méningite, se déclarera investi de cet étrange pouvoir. Dans son livre *Face to Face* (Face à Face), paru en 1957, il explique n'avoir jamais eu besoin de canne pour se déplacer, ni aucun problème pour rouler à bicyclette au milieu de la circulation. Son secret ? Une sorte de « vision faciale », qui l'aide ainsi à voir par la peau du visage...

On trouve aussi l'exemple chez des gens dotés par ailleurs d'une vue tout à fait normale. La jeune Margaret Foos, habitant Ellerson, en Virginie, montre à cet égard tellement de dispositions que son père va la faire examiner par des spécialistes en janvier 1960. Devant témoins, elle sera capable, les yeux bandés, de distinguer la présence et la couleur de divers objets, et même de lire à voix haute des articles de journaux...

Drew Pearson, un journaliste qui collabore à plusieurs publications, rapporte ainsi la réaction d'un psychiatre présent dans la salle : « Sans doute ne connaissons-nous pas encore toutes les composantes du cerveau humain... »

Les Miracles du cerveau

Le cerveau est loin de nous avoir livré tous ses mystères, et il nous réserve de temps à autre des surprises. Un organe aussi compliqué doit être, pense-t-on généralement, extrêmement vulnérable. On cite pourtant une foule de cas où de graves lésions cérébrales n'ont apparemment laissé aucune séquelle...

Prenons d'abord l'exemple de ce cheminot, Phineas Gage, qui, au siècle dernier, fait une fausse manœuvre en préparant une mine; il déclenche l'explosion, et il récolte une tige de fer en pleine tête...

Avec la pièce, le chirurgien enlève aussi des lambeaux entiers de cervelle. Phineas Gage survit à l'opération, mais tout le monde le croit désormais très diminué. Eh bien, non. Hormis la perte de son œil gauche arraché par la déflagration, il se porte ensuite comme un charme!

Une femme, employée dans une minoterie, sera elle aussi, en 1879, victime d'un accident du travail similaire, quand une machine lui projette un boulon en plein front. Pour l'extraire, on est obligé de tailler dans le vif. Croyez-vous qu'elle s'en ressentirait? Point du tout. Cette personne vivra et mourra à un âge canonique, sans jamais éprouver aucune migraine...

Toujours dans la même veine, l'histoire de ce marin, qui, en 1898, se fracasse le crâne en tombant de la passerelle. Il perd évidemment énormément de sang, et pas mal de matière grise. Idiot, le matelot ? Il deviendra capitaine ! Il aura juste du mal à se déplacer sur ses vieux jours...

C'est un nourrisson comme les autres. Il pleure, il tête, il gigote. Il meurt brusquement à l'âge de vingt-sept jours. A l'autopsie, on découvre qu'il n'avait pas de cerveau !...

Dans un bulletin de l'Association américaine de psychologie (American Psychological Association), deux médecins, Jan Bruel et George Albes, racontent qu'il leur a fallu procéder sur un patient à l'ablation de toute une partie du cerveau. Résultat ? Quinze jours plus tard, ce monsieur était sur pied, et il reprenait son travail...

Encore plus étrange, ce cas cité par un neurologue allemand. L'un de ses malades, paralytique, mais en pleine possession de ses facultés intellectuelles, décède. A l'autopsie, en lieu et place du cerveau, on ne trouve qu'un peu de liquide...

Médium détective

Lorsqu'en ce jour de 1928 il arrive à la ferme des Booher, du côté de Mannville, dans l'Alberta, l'agent Fred Olsen de la Police montée canadienne découvre un véritable carnage : quatre personnes ont été sauvagement abattues – Mrs. Booher, le fils aîné, Fred, ainsi que deux employés... C'est Henry Booher lui-même qui a trouvé les corps, avec son fils Vernon...

L'assassin, qui a pris soin de ramasser les douilles, en a pourtant oublié une, au fond d'un plat rempli d'eau de vaisselle. Elle provient d'un fusil de même calibre que celui récemment dérobé dans le voisinage. Fred Olsen n'est pas sans noter la haine dans les yeux du jeune Vernon, ni sa façon de rire sous cape...

Aussi va-t-il faire porter tous ses soupçons sur lui, lorsqu'il apprend que sa mère venait de l'obliger à mettre fin à une liaison. Le mobile de ce quadruple meurtre serait donc la vengeance...

L'interrogatoire ne donnera rien. Avec un aplomb impressionnant, Vernon Booher niera tout en bloc. « Ne comptez pas sur moi pour vous faire des aveux », répète-t-il à l'envi.

Persuadés cependant de tenir le coupable, Fred Olsen et son collègue, l'inspecteur Hancock, procèdent à son arrestation. Mais ils ne disposent d'aucune preuve matérielle de sa culpabilité. Fred Olsen se souvient alors avoir entendu parler d'un certain Maximilian Langsner, qui se targue de pouvoir résoudre n'importe quelle énigme policière, rien qu'en lisant dans les pensées des criminels. Le parapsychologue, qui a été initié à la télépathie en Extrême-Orient, promet effectivement de se « brancher » sur le mental de Vernon Booher, et de découvrir ainsi l'endroit où il a caché l'arme du crime...

Il va rester en faction, quatre heures durant, devant la cellule du suspect. Perdant de sa superbe, celui-ci va alors commencer à craquer, et l'apostropher : « Allez-vous-en ! Ne restez pas ici ! Partez, je vous dis ! »

Maximilian Langsner ne bouge pas, mais continuer à le fixer en se concentrant, de manière à user sa résistance nerveuse et à pénétrer peu à peu son psychisme...

Maximilian Langsner revient alors auprès des deux policiers. « Mentalement, il m'a dit où se trouve le fusil », annonce-t-il, en décrivant par le menu l'endroit exact où l'arme est cachée, sous des broussailles, non loin de la ferme des Booher...

On se rend aussitôt sur les lieux. Maximilian Langsner reconnaît au premier coup d'œil le buisson qui lui est « apparu » tout à l'heure. Il se précipite, tombe à genoux, et il se met à gratter le sol à mains nues. On voit bientôt luire le canon d'un fusil...

Devant cette preuve accablante, Vernon Booher avoue tout. Il sera pour finir condamné à la potence...

Bien que la télépathie ne figure pas d'ordinaire dans l'arsenal des enquêteurs de la Police montée, l'inspecteur Hancock saluera publiquement le rôle éminent joué par Maximilian Langsner. Il exposera toute l'affaire devant la presse, puis il consignera soigneusement dans les archives de cette prestigieuse unité l'histoire de ce parapsychologue, qui a démasqué un jour un criminel rien qu'en lisant dans ses pensées...

La Parapsychologie au service de la loi

Né en 1866 à Denbeigh, dans le pays de Galles, Arthur « Doc » Roberts va manifester très jeune des dons de perception extrasensorielle, qui lui permettent de retrouver des gens qui ont disparu ou des objets égarés. Adulte, il mettra ses talents au service de la police, ou de simples particuliers, lorsqu'ils piétinent dans leurs recherches...

Un certain Duncan MacGregor, habitant Pestigo, dans le Wisconsin, va par exemple s'évanouir dans la nature en juillet 1905. Les mois passent. En désespoir de cause, sa femme prend contact avec Doc Roberts. Au départ, il ne capte rien. Il va alors entrer en transe, et révéler à cette dame que son mari a été assassiné, et l'endroit où se trouve son corps...

Suivant les indications, la police repêche effectivement le cadavre du malheureux au fond d'une rivière, le Menomonee, accroché par ses vêtements à un tronc d'arbre immergé...

Autre affaire de disparition élucidée par Doc Roberts, celle du frère d'un riche industriel de Chicago, J.D. Leroy. Lui aussi a été victime d'un assassinat, déclare Doc Roberts, qui croit également pouvoir affirmer que son corps repose dans le canyon du Diable, au Nouveau-Mexique. On découvrira le jeune homme à une cinquantaine de mètres de l'endroit décrit en détail par Doc Roberts...

Un jour, comme il est en vacances à l'Hôtel du Fond du Lac, la police le contacte au sujet d'une affaire de meurtre sur laquelle elle bute depuis deux ans. Il ferme les yeux. Bientôt, il va « voir » la victime, et en dresser un portrait détaillé. Le lendemain, à sa requête, on lui soumet un échantillon de photos de criminels connus. En feuilletant l'album, il tombe soudain en arrêt devant un cliché signalétique : « Le voilà, votre assassin, messieurs ! Il se trouve actuellement au Canada, où il sert dans la Police montée ! » s'exclame-t-il. Là-encore, il ne s'est pas trompé...

Doc Roberts ne se contente d'ailleurs pas de remonter dans le passé, mais il est aussi capable de prévoir l'avenir. Le *Milwaukee News* rapporte que le 18 octobre 1935, Doc Roberts se montre prophétique : il avertit les autorités de l'imminence d'une vague d'attentats à la bombe. « Je vois sauter deux banques, et peut-être même la mairie. Et ensuite deux postes de police. Enfin, une dernière grosse explosion, et puis plus rien. »

Huit jours plus tard, une charge de dynamite dévaste la mairie, faisant deux morts et de nombreux blessés dans un groupe d'enfants qui se trouvaient là. Le lendemain seront visés deux postes de police, ainsi que deux agences bancaires...

La police de la ville va alors s'adresser à lui par l'intermédiaire de l'inspecteur English. « Le dimanche 4 novembre, il va se produire une grave explosion, et ensuite tout sera fini ! » déclare-t-il.

La déflagration sera si violente, ce jour-là, qu'on l'entendra à 12 kilomètres à la ronde. Ce sera aussi la dernière de la série, car on retrouvera les restes déchiquetés des deux malfaiteurs, Hugh Rutkowski, vingt et un ans, et Paul Chovonne, de deux ans son cadet. C'est en préparant de nouvelles bombes qu'ils ont déclenché une explosion accidentelle...

Arthur Price « Doc » Roberts formulera sa dernière prédiction en 1939 – il a alors soixante-treize ans. Au cours d'un dîner donné en son honneur, il se lève pour remercier ses amis : « Je crains fort, hélas ! de ne pas être des vôtres la prochaine fois. Malgré mon peu d'empressement, j'aurai quitté ce monde au plus tard le 2 janvier 1940. »

Là encore, Doc Roberts verra juste. Le 2 janvier 1940, il s'éteindra chez lui, à Milwaukee...

Le Professeur Gladstone

L'histoire se passe en décembre 1932, dans une petite ville du Saskatchewan, une province du centre du Canada. Il gèle à pierre fendre, ce soir-là; le temps idéal pour aller au théâtre, songe l'agent Carey, de la Police montée. Sur scène, un parapsychologue, un monsieur élégant et de belle taille, qui lit dans les pensées du public...

A son commandement, des volontaires placés sous hypnose exécutent d'abord toutes sortes de bouffonneries devant la salle hilare. L'atmosphère va se tendre subitement, quand notre magicien se plante devant un fermier, Bill Taylor, et l'interpelle en ces termes : « Ça y est! Vous êtes en train de songer à votre ami Scotty MacLauchlin! Le pauvre, il a été victime d'un horrible assassinat... »

Il désigne alors le policier. « C'est lui. C'est lui qui retrouvera le corps de la victime, et je serai à ses côtés à ce moment-là! »

Scotty MacLauchlin a effectivement disparu dans des circonstances mystérieuses quatre ans plus tôt. L'enquête n'a jamais rien donné, et l'affaire est considérée comme classée. L'agent Carey n'hésite pas : il prend contact avec ce parapsychologue pratiquant la divination par télépathie, qui se fait appeler le « Professeur Gladstone ». Son interlocuteur se dit persuadé que le malheureux Scotty MacLauchlin a bel et bien été tué, il le « sent »...

Le supérieur hiérarchique de Carey, l'inspecteur principal Jack Woods, vient lui-même voir le Professeur Gladstone. Si ce dernier ignore toujours l'identité du meurtrier, il est par contre certain de le reconnaître si jamais il le voit...

Nos trois compères entreprennent par conséquent une tournée des gens qui ont vu Scotty MacLauchlin peu avant sa disparition, le 16 janvier 1929. Ils s'arrêtent d'abord chez un dénommé Vogel, qui aurait été témoin de menaces proférées à l'encontre du fermier. Fou de rage, Ed Vogel nie avec véhémence, et crie au mensonge...

C'est alors que le Professeur Gladstone, index pointé, retrace l'incident intervenu ce soir-là : « Vous étiez malade, et déjà couché. Schumacher (un voisin) est entré. Il était dans une colère noire contre Scotty MacLauchlin, et il s'est juré de le tuer », déclare-t-il.

Ed Vogel blêmit. Il reconnaît alors les faits sans plus de discussion. Le trio s'en va donc voir le Schumacher en question. En chemin, le Professeur Gladstone éprouve une impression bizarre : quelque chose lui dit que le corps de la victime est tout près...

On ramène Schumacher en ville pour l'interroger. Il prétend que Scotty MacLauchlin et lui étaient en excellents termes, et qu'ils se partageaient à égalité l'exploitation. Quand son associé a manifesté le désir d'aller tenter sa chance ailleurs, il lui a racheté sa part...

Le Professeur Gladstone est persuadé qu'il ment. « La grange ! », s'exclame-t-il soudain. « Je suis sûr, maintenant, que c'est vous l'assassin ! Scotty est sorti... vous l'avez suivi. Vous vous êtes disputés, vous en êtes venus aux mains !... Il est tombé... Mais vous avez continué à frapper, et à frapper, jusqu'à ce que mort s'ensuive ! Ensuite de quoi vous avez fait disparaître son corps dans la grange, sous un tas de détritus ! »

Schumacher nie en bloc. Le lendemain, on retourne avec lui à la ferme, et on va voir la fameuse grange. Le Professeur Gladstone se dirige tout droit vers un tas de fumier couvert de givre : « Messieurs, annonce-t-il, le corps de Scotty MacLauchlin se trouve là-dessous ! »

On va bientôt dégager la dépouille du malheureux, et confondre définitivement Schumacher, qui confirmera que tout s'est bien passé comme l'a dit le Professeur Gladstone...

Le Crayon magique

La légende veut que le roi Arthur et la Reine Guenièvre soient enterrés à l'abbaye de Gladstonbury. Le Christ lui-même y aurait, dit-on, effectué un séjour en l'an 27. Toutes ces considérations n'empêcheront pas Henri VIII de raser l'édifice – après avoir pillé la bibliothèque, on fera tout sauter. De nos jours, « l'endroit le plus sacré de Grande-Bretagne » n'est plus qu'un champ de ruines...

Dirigées par Frederick Blight-Bond, un architecte, archéologue à ses heures, les premières fouilles débutent en 1907. Elles ont pour objet de dégager les deux chapelles dont parlent les chroniqueurs, celle d'Edgar, le roi martyr, et l'autre consacrée à Notre-Dame-de-Lorette. Comme il le racontera ensuite dans son livre *The Gate of Remembrance* (La Clé du souvenir), paru en 1933, c'est par l'entremise d'un « crayon magique » que lui seront transmises les indications les plus précieuses...

Un de ses amis, le capitaine Bartlett, lui a déjà parlé de l'écriture automatique comme moyen d'entrer en communication avec l'au-delà. Il décide de tenter lui-même l'expérience. Serrant à peine le crayon entre ses doigts, il invoque les esprits, et demande des éclaircissements sur l'abbaye...

Il n'attendra pas longtemps. Bientôt, le crayon s'anime. Il trace d'abord le plan de la première chapelle, puis il résume brièvement, en latin, son histoire...

Le moine Guliemus, ou plutôt son esprit, lui apprend ainsi que la chapelle d'Edgar le Martyr se dressait tout près de l'abbaye proprement dite, et qu'elle possédait des vitraux bleus. Suivant fidèlement les directives du « crayon magique », Frederick Blight-Bond et son équipe retrouveront sans peine les restes de la petite église, parsemés de bris de verre teinté...

Encouragé par ce premier succès, notre archéologue va découvrir, par le même procédé, l'emplacement exact de la chapelle de Notre-Dame-de-Lorette. Cette fois, c'est un personnage XVIe siècle qui oriente ses recherches vers un petit talus, en le prévenant d'ailleurs qu'il n'en demeure qu'un pan de mur, le reste ayant été ultérieurement réutilisé pour d'autres constructions. Les fouilles entreprises à l'endroit indiqué confirmeront point pour point les informations du « crayon magique »...

Frederick Blight-Bond répète dès lors l'expérience quasi quotidiennement. La liste de ses informateurs d'outre-tombe s'allonge : Johennes Bryant, mort en 1533, « Awfwold le Saxon », grâce auquel il dégage les restes d'une cabane en claie vieille de mille ans...

Prédictions révolutionnaires

Nous sommes en 1784, durant l'été. La duchesse de Gramont donne une garden-party, qui réunit une compagnie brillante et spirituelle. Sont notamment présents Jean La Harpe, un athée convaincu, et un original, le poète Jacques Cazotte. Celui-ci va soudain jouer au prophète. Hostile à toute idée de surnaturel, Jean La Harpe va relever soigneusement toutes ses prédictions, pour mieux le ridiculiser à l'avenir. Seulement, les choses ne vont pas tourner du tout comme il l'imagine...

Guillaume de Malesherbes, ministre du roi, lève son verre. « Je bois au jour où la raison présidera aux destinées de l'homme – même si personnellement je ne le verrai pas », dit-il solennellement. Cazotte se précipite. « Au contraire, lance-t-il, vous serez toujours là ! »

Le poète se tourne alors vers le marquis de Condorcet : « C'est par le poison que vous vous soustrairez au bourreau », déclare-t-il.

A Chamfort, favori de Louis XVI, il prédit qu'il se tailladerait le poignet à vingt-deux reprises, « mais sans trouver la mort pour autant. »

Franchement macabre, par contre, le sort guettant Bailly, le célèbre astronome, appelé selon notre devin à être exécuté en public...

Guillaume de Malesherbes cherche à détendre l'atmosphère. Il s'incline devant le mage, et dit avec cérémonie : « Je brûle de connaître, moi aussi, mon destin. » « J'ai le regret de vous informer, monsieur, que vous terminerez comme votre ami Chamfort », répond Jacques Cazotte.

Las de toutes ces balivernes, notre sceptique de service, Jean La Harpe, entre dans la danse. « Et moi ? Vous semblez m'oublier. J'espère au moins tenir compagnie à mes amis jusqu'au bout, que nous puissions ensemble railler la populace », persifle-t-il.

Jacques Cazotte et lui étant connus pour se détester, un murmure traverse l'assistance. « Non seulement vous échapperez au bourreau, monsieur La Harpe, mais vous mourrez dans la peau d'un dévot. »

Éclat de rire général. La duchesse de Gramont, jouant les coquettes, s'étonne alors que l'on oublie les dames...

Le prophète d'un soir lui saisit les mains : « Hélas ! ma bonne amie, les bourreaux n'ont aucun respect pour les personnes du sexe. Un jour viendra qui sera fatal aux gens de qualité. Vous serez, comme le roi, conduite à l'échafaud dans une charrette. »

Cinq ans plus tard, c'est la Révolution. Les prédictions « insensées » de Jacques Cazotte vont toutes se réaliser, et Jean La Harpe, le libre penseur, se retirera dans un monastère...

La Nuit porte conseil

Wallis Budge vient au monde en 1857, dans une famille très pauvre de Cornouailles, à la pointe de l'Angleterre. Il n'a alors pratiquement aucune chance d'acquérir une quelconque instruction – et encore moins de devenir l'un des plus éminents linguistes de son temps. Mais grâce à ses dispositions étonnantes pour les langues orientales, c'est pourtant ce qui va se produire...

Apprenant les dons naturels de ce jeune homme impécunieux de vingt et un ans, le Premier ministre William Gladstone, lui-même fin lettré, va l'envoyer à l'université – il le fera admettre gratuitement au Christ's College de Cambridge...

Par la suite, Wallis Budge aura tout de même besoin d'une bourse pour continuer ses études. Il va donc se présenter à un concours organisé par le Professeur Sayce, à l'époque l'un des meilleurs spécialistes des langues mortes. Les candidats devront traiter en détail quatre points...

Wallis Budge prépare cette épreuve cruciale avec acharnement. La veille, il s'écroule sur son lit, épuisé physiquement et intellectuellement. C'est alors qu'il fait un rêve...

Il se voit en train de passer l'examen, mais pas dans une salle de cours, plutôt dans une espèce d'annexe. Entre un professeur, qui lui soumet le sujet. Bizarrement celui-ci est imprimé sur papier vert. Notre ami s'acquitte facilement de la première partie, mais il lui faut ensuite traduire un texte rébarbatif en akkadien – langue des Assyriens, faisant appel à l'écriture cunéiforme. Pris de panique, il se réveille...

Dès qu'il se rendort, il replonge dans le même rêve – et cela à trois reprises... Il finit par se lever ; il est un peu plus de 2 heures du matin. Plutôt que de se recoucher, il ouvre le livre de Rawlinson : *Cuneiform Inscriptions of Western Asia* (Les Inscriptions en caractères cunéiformes trouvées en Asie Mineure). Il lui semble reconnaître les passages délicats de tout à l'heure. Il passera le reste de la nuit à bûcher cet ouvrage.

Au matin, il arrive pour subir l'épreuve. Mais la salle est pleine, et on le dirige sur un local où il n'était encore jamais entré, et qui correspond en tous points à celui qu'il avait entrevu durant son sommeil : mêmes tables lacérées, mêmes lucarnes sinistres...

Les coïncidences se multiplient. C'est bien le même professeur qui lui apporte, imprimé sur papier vert, un questionnaire portant sur des inscriptions en caractères cunéiformes, celles-là mêmes qu'il a étudiées au cours de la nuit...

Wallis Budge décrochera la bourse, et par la suite il deviendra un savant renommé, connu principalement pour sa traduction du *Livre des Morts* (texte religieux de l'Égypte ancienne), comme le raconte un ami, Sir Henry Haggard, dans ses Mémoires parus en 1926 : *The Days of My Life* (Les Jours de ma vie).

Voleuse somnambule

Dans l'Indiana, un journaliste du comté de Monroe nommé Spencer se met à pratiquer, en 1881, la divination par télépathie. Se faisant appeler le « Colonel Spencer », il présente sur scène des numéros d'hypnose et de prestidigitation. Notre homme, qui jamais ne se prétendra vraiment parapsychologue, va néanmoins contribuer, en lisant dans les pensées d'une jeune fille, à résoudre une énigme. « Dès lors, explique l'*Indianapolis News*, Mr. Spencer sera considéré comme une sorte de mage... »

Il se produit un jour dans une école. Sont présents dans le public Mrs. Harmon et ses grands enfants, trois filles et un fils. Ils sont actuellement à couteaux tirés, car toutes leurs économies – soit 4 000 dollars – soigneusement cachées en cinq endroits différents, ont disparu. Personne d'autre qu'eux ne sachant où l'argent était dissimulé, le voleur ne peut être qu'un membre de la famille. Mais qui ?

John Harmon se lève. Avec ses dons singuliers, le Colonel Spencer ne pourrait-il les aider à démasquer le coupable ? Le Colonel Spencer n'a encore jamais été confronté à une requête de cette nature. Il décide de tenter l'expérience, moyennant toutefois, en cas de succès, une petite gratification, 10 % du total, « pour les esprits »...

Le lendemain, une foule d'environ 300 badauds fait le guet devant la maison des Harmon, tandis qu'officie notre devin. Mrs. Harmon et ses filles, toutes les quatre très crispées, attendent au salon. Le Colonel Spencer réclame le silence dehors. C'est qu'il va lui falloir d'abord placer ces dames sous hypnose, avant de les interroger...

Nancy Harmon fond en larmes. Le mage n'insiste pas, et il se concentre sur sa sœur Rachel. Elle sombrera dans une telle léthargie qu'il sera impossible d'en tirer quoi que ce soit. Il va alors hypnotiser la dernière demoiselle Harmon, Rhoda.

« Maintenant, dit-il, vous allez me montrer où se trouve l'argent. Je passe devant, et vous me suivez tout doucement. Si je m'en vais dans la mauvaise direction, vous vous arrêtez. »

Une main sur le front de la jeune fille, le Colonel Spencer va se laisser conduire à reculons jusqu'à un séchoir à maïs dressé à une trentaine de mètres de la grange.

« C'est ici, messieurs. Vous pouvez fouiller ! » lance-t-il triomphant.

On retrouve effectivement l'argent, roulé dans un vieux journal, entre deux rondins...

Lorsqu'elle sort de son sommeil artificiel, Rhoda tombe aussitôt dans les pommes à la vue des 4 000 dollars. D'après le Colonel Spencer, elle a dû les dérober sans s'en rendre, compte, lors d'une crise de somnambulisme...

Morale de l'histoire : le Colonel Spencer renoncera désormais à sa profession de mage, et plus jamais il ne se risquera à essayer de lire dans les pensées de quelqu'un...

Divination sur ordonnance

La divination et la télépathie seront bientôt à la portée de tous. Oui, il suffira de prendre un cachet ou une gélule d'un médicament pour être en mesure de prédire l'avenir ou de lire dans les pensées d'autrui. C'est du moins ce qu'affirme une parapsychologue anglaise, Serena Roney-Dougal qui précise que le produit en question existe déjà – il s'agit de l'harmaline, extraite d'une plante de la jungle amazonienne, le Banistériopsis...

Chez les Indiens, où elle sert à atteindre des états d'hyper-conscience, on dit qu'il agit sur la glande pinéale. C'est d'autant plus plausible que l'harmaline, de par sa structure chimique, s'apparente à la mélatonnie, sécrétée par la glande pinéale, justement. Il est donc vraisemblable qu'en excitant la glande pinéale, elle favorise du même coup la production de mélatonine, et par voie de conséquence le développement de pouvoirs méta-psychiques...

Seulement, elle n'est pas disponible sur le marché. C'est dommage, car les parapsychologues pourraient alors en mesurer l'efficacité, et procéder à ce que Serena Roney-Dougal appelle « la vérification expérimentale d'une évidence anthropologique »...

Singes aquatiques

Les ancêtres de l'homme n'étaient pas tous des primates arboricoles. Selon une théorie récente, une partie d'entre eux auraient vécu en milieu marin, pendant un laps de temps considérable (entre 9 et 3,5 millions d'années). Voilà pourquoi, explique Elaine Morgan, dans son livre paru en Angleterre : *The Aquatic Ape* (Le Singe aquatique), l'homme se singularise tellement des autres mammifères terrestres...

Lorsque ces « chaînons manquants » de notre évolution quittent les océans et reviennent vivre sur terre, ils sont « nus », comparés aux autres singes. On attribue généralement la perte de leur toison à la chaleur régnant dans la savane tropicale. Si tel était le cas, répond Elaine Morgan, les autres prédateurs, comme le lion ou la hyène, auraient également perdu leur poil...

Le pelage de l'homme tombera au même titre que celui de la baleine ou du phoque. « Un gros mammifère marin sera bien mieux protégé du froid par une couche de graisse sous la peau que par une fourrure au-dessus », explique notre auteur.

De tout ce temps passé dans l'eau, nos ancêtres aquatiques hériteront des membres inférieurs puissants, parfaitement adaptés à la station debout et à la bipédie. De même, la visibilité étant réduite sous l'eau, force leur sera de recourir au langage articulé, plutôt qu'aux mimiques, pour communiquer entre eux.

A l'appui de sa thèse, Elaine Morgan note également que si l'homme est le seul primate qui pleure, les baleines et les phoques en font autant. « Si l'on s'obstine à le considérer comme un animal terrestre depuis le départ, l'homme reste une énigme. Si par contre on voit en lui une créature qui a vécu un temps dans l'eau, il correspond tout à fait au schéma général », conclut Elaine Morgan.

OVNI en forme de « v »

Le ciel s'illumine soudain. Un énorme engin en forme de « v » tournoie en silence au-dessus de Westchester, dans la banlieue de New York. La scène se reproduisant plusieurs fois, entre le 17 et le 31 août 1983, des milliers de gens en seront témoins, alors qu'en général ce sont des personnes isolées qui signalent des OVNIS. « Survolant une zone semi urbaine, il ne pouvait pas passer inaperçu », raisonne Allen J. Hynek, qui dirige le Centre d'études sur les OVNIS d'Evanston, dans l'Illinois.

Le premier à l'apercevoir sera Bill Hele, un météorologue qui circule sur l'autoroute. Une lueur éblouissante tourne dans le ciel. Elle s'éteint, puis elle se rallume, brillant cette fois d'un vert cru, à environ 1 kilomètre de là...

Les témoignages bientôt affluent. Allen J. Hynek se précipite, flanqué d'un assistant. Avec le concours d'un professeur de Westchester, il interroge les gens qui ont observé l'OVNI à plusieurs reprises et il analyse leurs déclarations sur ordinateur. Dans l'ensemble, elles recoupent celles de Bill Hele.

Il y a tout de même quelques petits détails qui clochent. On voit, par exemple, au même moment un OVNI dans plusieurs localités, relativement éloignées les unes des autres. Faut-il en conclure que l'on avait affaire à toute une vague d'engins venus de l'espace ? Qui sait... Reste l'hypothèse d'un canular. On ne saurait l'exclure a priori, d'autant que l'on fait état, un mois plus tard, de lueurs et de bruits suspects dans le ciel du Connecticut, qui rappellent étrangement des petits avions volant en formation...

Aucun rapport, nous dit Allen J. Hynek, avec l'appareil en forme de « v » qui tournoie au-dessus de Westchester. « Les monomoteurs font du bruit, ils ne jettent pas de lueur aveuglante, et ils sont incapables de virer à angle droit. »...

Steack de mammouth

Ancêtre de l'éléphant, le mammouth à longs poils a disparu depuis des milliers d'années. Malgré tout, des tas de gens, touristes ou scientifiques, ont eu l'occasion de goûter la chair de cet énorme pachyderme. Congelée pendant des millénaires, il suffit de la passer à la poêle ou au four...

Les savants soviétiques feraient ainsi, dit-on, de temps à autre des « banquets de mammouth ». Des ouvriers du bâtiment se seraient même attiré des ennuis en donnant du mammouth à manger à leurs chiens.

Personnellement, Robert M. Thorson, géologue attaché à l'université de l'Alaska, qui s'efforce à l'heure actuelle de dégager les restes de l'une de ces énormes bêtes, n'y a pas encore goûté, mais par contre il a essayé la viande de bison préhistorique. « Ce n'était guère fameux, je dois dire », conclut-il. De l'avis de ceux qui en ont tâté, la chair de mammouth est plutôt insipide – même si personne n'a été malade après coup.

La consommation de viande de mammouth risque pourtant de se généraliser si, comme on l'a évoqué lors d'un récent congrès à Helsinki, portant sur la structure cellulaire de ces énormes pachydermes, il en subsiste toujours quelques-uns au fin fond de la Sibérie, ou bien si le projet du zoologiste soviétique Nicolaï Vereschagrin voit le jour : il envisage en effet de clôner des cellules prélevées sur les carcasses gelées et de ressusciter ainsi l'espèce...

OVNIS et images mentales

Et si les OVNIS n'étaient, au fond, que des projections mentales, analogues aux visions des mourants ? Une universitaire californienne, Lorraine Smith, n'hésite pas à franchir le pas...

C'est après avoir participé à un séminaire consacré aux expériences du « seuil de la mort » sous la directive d'un professeur de psychologie de l'université du Connecticut, Kenneth Ring, qu'elle en est venue à échafauder cette théorie. Frappée par la similitude existant entre les visions perçues par les mourants et les témoignages concernant les OVNIS, elle va envoyer à 261 personnes qui ont aperçu une soucoupe volante un questionnaire, préparé par Kenneth Ring, et initialement destiné aux « morts ressucités ».

Elle obtient une centaine de réponses. Un trait domine : à l'instar des malades sauvés *in extremis*, ces gens semblent avoir vécu une expérience déterminante dans leur vie. Ils se disent tous désormais plus ouverts, plus tolérants, et aussi axés sur les questions spirituelles – même les athées. Enfin, ils jouissent de pouvoirs métapsychiques accrus...

Pour Lorraine Smith, il n'y a aucun doute : dans un cas comme dans l'autre, on bascule dans une dimension nouvelle, avec toutes les conséquences que cela entraîne. « Chez les uns, explique-t-elle, c'est un facteur externe qui a servi de catalyseur, tandis que les autres ont été transformés par leur voyage aux portes de la mort. »

N'en concluons pas pour autant que les OVNIS ne sont qu'un effet de notre imagination. « Si l'on se trouve effectivement dans une autre dimension lorsqu'on voit un OVNI, rien ne dit que celui-ci ne se matérialise pas non plus pour de vrai pendant quelques minutes. Qui sait, peut-être, dans cet état d'hyperconscience, percevons-nous tout ou partie du monde invisible... », conclut Lorraine Smith.

Cigare volant

Le 8 décembre 1981, peu avant le coucher du soleil, un habitant du Nouveau-Mexique, Dan Luscomb, aperçoit dans le ciel un énorme objet en forme de cigare, non loin de la petite ville de Reserve, où il dirige un centre de vacances. Environ quatre fois plus gros qu'un Boeing 747, l'engin est pris en chasse par un avion à réaction. Mais dès que celui-ci fait mine de s'approcher, il lui échappe avec une facilité déconcertante...

J. Allen Hynek, directeur du Centre d'études sur les OVNIS d'Evanston, apprend la nouvelle par un article du *El Paso Times*. Quelques mois plus tard, en avril 1982, il se rend sur place et mène sa propre enquête.

Neuf personnes au total déclareront avoir vu cette étrange chose en forme de cigare. En rentrant chez lui, ce soir-là, Lance Swapp, employé dans une épicerie de la petite localité voisine de Luna, remarque une lueur vive dans le ciel. « Quand j'arrive à la maison, mon frère, tout excité, me crie de regarder en l'air », raconte-t-il, en précisant qu'un énorme vaisseau tourne alors au-dessus de leurs têtes, poursuivi par un avion de chasse...

Une femme au foyer, Alma Hobbs, voit quant à elle une boule rouge s'élever du sol, comme elle se dirige vers Reserve au volant de sa voiture. L'appareil effectuant un quart de tour sur lui-même, elle constate qu'il est de forme cylindrique...

Quoi qu'il en soit, note Allen Hynek, il ne s'agissait certainement pas d'un missile, car la chose ne faisait aucun bruit, ni d'un engin expérimental, la technologie actuelle ne permettant pas de virer à angle droit en une fraction de seconde. « Pareil prodige défie la seconde loi de la mécanique newtonienne », dit-il en matière de conclusion.

L'Inventeur de la science-fiction

L'avenir se charge souvent de démentir les scénarios imaginés par les auteurs de science-fiction. Mais à l'occasion, ceux-ci parlent en prophètes...

Au siècle dernier, par exemple, Jules Verne imagine une expédition lunaire. *De la Terre à la Lune* raconte cette épopée : un gigantesque canon installé en Floride propulse un boulet-capsule en direction de notre satellite. Le voyage dure 73 heures et 13 minutes. Par l'effet d'une coïncidence extraordinaire, l'équipage d'Apollo 11 mettra très exactement 73 heures et 10 minutes pour atteindre son orbite autour de la Lune...

Ce n'est pas tout, dans *Vingt mille lieues sous les mers*, le même Jules Verne décrit, avec cent ans d'avance, un sous-marin à propulsion nucléaire, le *Nautilus*. Le premier bâtiment de ce type entré en service dans la marine américaine sera lui-même pour cette raison baptisé *Nautilus* (nom qui devait ensuite désigner toute une classe de submersibles), et il accomplira un exploit désormais banal : franchir le pôle Nord en passant sous la calotte de glace...

Les Écrits du mage

Pendant quatre siècles, les mystérieuses prophéties de Michel de Nostredame, dit Nostradamus, garderont leurs secrets. En bon chrétien, le mage invoque l'inspiration divine. Tout de même, pour éviter de s'attirer les foudres de l'Inquisition, il va recourir à toute une série d'artifices littéraires, tel l'anagramme ou l'aphérèse (chute de la première lettre ou de la syllabe initiale d'un mot) pour crypter son texte...

On ne proposera pas moins de 400 lectures différentes des « Prophéties », dont aucune véritablement satisfaisante. Il faudra attendre l'informatique pour être en mesure de déchiffrer les prédictions codées de l'astrologue. C'est Jean-Charles de Fontbrune, directeur d'une société de produits pharmaceutiques, et grand spécialiste de Nostradamus, qui s'attelle à la tâche. Il soumet le texte à un traitement systématique, permettant de déterminer la fréquence des lettres, des mots, des tournures de phrase, etc. Au bout du compte, tout se passe comme si, après une rédaction initiale en latin, Nostradamus avait retranscrit chaque verset en français, mais en conservant la syntaxe originale, ce qui suffit à le rendre incompréhensible. Au total, Jean-Charles de Fontbrune déchiffrera la moitié du recueil...

Il fait paraître ses conclusions en 1980, dans un livre. L'ouvrage ne rencontre d'abord qu'un succès modeste, jusqu'à ce que l'on s'avise d'un passage expliquant que « l'année de la Rose, naîtra un conflit entre l'Islam et l'Occident »...

La rose symbolise évidemment l'arrivée au pouvoir

des socialistes en France en 1981, tandis qu'à la même époque les membres de l'ambassade américaine sont retenus en otages à Téhéran. On découvre aussi que Nostradamus a prédit, entre autres, la mort d'Henri II, blessé lors d'un tournoi, l'épopée napoléonienne, et même la chute du Chah d'Iran, au profit « d'intégristes religieux »...

Toujours selon Jean-Charles de Fontbrune, l'Islam détruira la Chrétienté avant la fin du siècle, lorsque les pays arabes feront alliance avec l'URSS pour envahir l'Europe occidentale. Paris sera mis à feu et à sang, et le monde entier plongé dans une guerre effroyable.

L'Homme de l'an 3000

Si l'on en croit un physicien de l'Institut de recherches avancées de Princeton, Freeman Dyson, les progrès – déjà visibles – de la biologie moléculaire permettront de transformer les êtres vivant actuellement sur terre. Viendra, dit-il, le jour où, grâce aux manipulations génétiques, les hommes pourront, sans l'aide de combinaison ou d'aucun appareillage de survie, coloniser l'espace ou d'autres planètes.

A quoi ressembleront nos descendants, dans cet avenir finalement assez proche ? Toujours selon Freeman Dyson, ils n'auront plus de nez (« Il n'y a rien à renifler dans l'espace »), mais par contre une peau épaisse, un peu comme celle des crocodiles, pour permettre à leur corps de résister à des pressions différentes de celle régnant sur notre globe. Ces humains d'un type nouveau seront aussi, selon lui, couverts de poils ou de plumes, adaptés au froid glacial des espaces intersidéraux. Il suffira également de modifier leur métabolisme pour empêcher leurs os de se décalcifier en apesanteur...

Faune anglaise

Voilà déjà une dizaine d'années que Michael Goss, un écrivain, s'intéresse à ces mystérieux carnassiers que l'on signale périodiquement en Grande-Bretagne, et qui ressembleraient, suivant le cas, à des chats ou à des chiens...

Michael Goss a recensé soixante-dix-sept apparitions de ces étranges créatures. Il a épluché les rapports. On parle effectivement d'un énorme chat au poil roux, mesurant dans les trois mètres de long; l'état des carcasses trouvées sur leur passage laisse d'ailleurs penser à des félins... Mais d'autres témoignages, dont celui d'un conducteur d'autobus et d'un peloton de fusiliers marins chargés d'abattre la bête qui venait de dévorer près d'une centaine de moutons, font état, quant à eux, d'une espèce de chien gigantesque...

En 1982, au cours de l'été, on aperçoit l'un de ces curieux animaux du côté de Fobbing Marshes, dans l'est de l'Angleterre. Un agent de maîtrise de la Compagnie des eaux, en service sur une citerne isolée, a la stupeur d'en voir passer un tout près. Sans doute est-ce le même que l'on voit sortir d'une haie quelques jours plus tard. Dans les deux cas, on ne sait pas très bien s'il s'agit d'un chat ou d'un chien... L'année suivante, peu avant Noël, trois personnes observent, dont l'une avec des jumelles, un animal à environ deux kilomètres de là. Ils sont formels : il s'agit d'une panthère...

Certains n'hésitent pas à parler de chiens ou de chats venus d'une autre planète. « Il nous faut absolument savoir de quoi il retourne, explique Michael Goss, et rassembler toutes les informations disponibles s'il s'agit vraiment d'animaux ou bien de phénomènes psychiques. »

Drôles de bêtes en Angleterre...

Voilà maintenant une bonne dizaine d'années que Michael Goss, un écrivain, se passionne pour ces mystérieux carnassiers, chiens énormes ou chats gigantesques, qui hanteraient la campagne anglaise...

Des drôles de bêtes, en tout cas, pour effrayer à ce point nos amis d'outre-Manche. Plus de 70 personnes jurent mordicus avoir aperçu l'un de ces monstres – on parle tantôt d'un gros chat, de trois mètres de long (autant dire un tigre), ou d'un chien de la taille d'un cheval... Canins, félins, peu importe : fauves sanguinaires, ils déciment allégrement les troupeaux de brebis, égorgent les vaches et sèment la terreur chez les bergers.

Ils n'ont peur de rien. Pensez, on en a même vu dans la banlieue de Londres ! Un agent de maîtrise de la Compagnie des eaux, perché sur une citerne, en voit passer un, tranquillement, quelques mètres au-dessous de lui. Toujours dans le même secteur, un animal de cet acabit s'enfonce dans les fourrés, en entendant des pas... Dans les deux cas, impossible de dire s'il s'agit d'une espèce de chat ou de chien démesuré...

L'année suivante, en revanche (en 1983), trois personnes déclarent avoir vu, dont l'une avec des jumelles, une panthère dans le Berkshire...

Alors ? Eh bien, Michael Goss s'est juré de connaître le fin mot de l'histoire – d'autant que l'on murmure qu'il pourrait s'agir de créatures extraterrestres, arrivées en OVNI...

Dieu protège l'Angleterre !

Les Spationautes de l'Ancien Japon

Imaginez de très vieilles statuettes japonaises, les « Dogus ». Les plus anciennes datent du VIIe millénaire avant J.-C., et les dernières seront fabriquées en l'an 520 de notre ère. Considérées généralement comme des divinités de fécondité, elles ont la tête pointue, les yeux bridés, et le corps orné de motifs complexes, faits de rayures et de points. Il n'en faut pas plus à Vaugh Greene, qui a écrit un livre sur le sujet : *Astronauts of Ancien Japan* (Les Astronautes du Japon antique), pour conclure qu'elles représentent tout bonnement des humanoïdes en combinaison spatiale. Leur tenue ne ressemble-t-elle pas d'ailleurs à celle que portent les astronautes américains lors de leurs sorties dans l'espace ?

Tout comme celle mise récemment au point par la Nasa, et baptisée EMU (Extravehicular Mobility Unit), leur combinaison semble faite de deux pièces ajustées à la taille, et elle est parsemée de boutons sur le torse, qui rappellent étrangement les capteurs ceinturant la poitrine des spationautes. Quant aux fameuses stries, loin d'être de simples ornements, elles serviraient en fait à mesurer la quantité d'oxygène rejetée dans la combinaison par son occupant...

Sur le toit du monde

George Mallory et Andrew Irvine disparaîtront le 8 juin 1924 en tentant l'ascension de l'Everest. Combien de chemin leur restait-il à parcourir avant de fouler le toit du monde ? On l'ignore ; mais on ne va peut-être pas tarder à le savoir. Un ingénieur en informatique du Massachusetts, Tom Holzel, s'est en effet mis en tête de retrouver les appareils photo des deux alpinistes.

C'est par un article du *New Yorker* qu'il en apprend l'existence. Il en déduit que George Mallory et son compagnon ont dû filmer les différentes étapes de leur ascension. Dès lors, il suffirait de récupérer les deux Kodak et de développer les pellicules pour savoir enfin jusqu'où ils sont arrivés... – même si cela revient, comme il le reconnaît lui-même, à chercher une aiguille dans une botte de foin...

Mais il n'en espère pas moins réussir. A sa demande, la société White's Electronics fabriquera des détecteurs de métaux robustes et spécialement conçus pour réagir à l'acier et au cuivre des boîtiers.

Les recherches entreprises pendant trois mois en 1986 ne donneront rien. On ne trouvera que des bouteilles d'oxygène, dans un endroit où les alpinistes ont peut-être planté leur tente.

Tom Holzel est pourtant bien décidé à retourner sur les lieux dès que possible. Pourquoi tant d'acharnement ? Il fait la même réponse que Sir Edmund Hillary, quand on lui demandait pourquoi il tenait tant à vaincre l'Everest : « Parce que George Mallory y est resté... »

Chasseur de yétis

Un postier part à la chasse – pour cinq mois, explique-t-il en donnant sa démission. Mark Keller court après le gros gibier. Ne projette-t-il pas, en effet, de ramener la dépouille d'un « Grand Pied » (Bigfoot), soit de l'un de ces hommes-singes, cousins du célèbre Yéti tibétain, censés vivre dans les forêts du nord-ouest des États-Unis et du Canada ?...

L'affaire s'ébruite. Il est alors harcelé de coups de fil, assurant qu'on fera tout pour l'empêcher de réaliser son projet criminel, et même qu'on lui réglera son compte si jamais il tue l'une de ces pauvres créatures...

« Des gens – qui chassent à l'arc ! – dans l'État de Washington se sont juré de m'avoir si j'ai le malheur de toucher à un " Grand Pied ", raconte-t-il.

Il va recevoir également des menaces par lettres anonymes, rapporte le commissaire de police d'Arcata, Jim Dawson, qui ajoute que l'on n'en démasquera jamais les auteurs.

Tout ce petit monde poussera donc un ouf de soulagement en apprenant que l'expédition de Mark Keller est repoussée à une date indéterminée. Au lieu de courir les bois, notre homme va se faire arrêter par le shérif d'Eureka, une petite localité du nord de la Californie. « Il se baladait en pleine rue avec un fusil équipé d'un viseur à infrarouge, pour le tir de nuit. Je l'ai aussitôt embarqué », explique le policier...

Avion en orbite

C'est en regardant le soir un film vidéo consacré aux OVNIS que Wesley Bateman, habitant la petite localité de Poway, en Californie, note un détail bizarre : un objet dans l'espace, photographié par l'équipage d'Apollo 11, et dont la silhouette rappelle curieusement celle d'un chasseur-bombardier Avenger de la marine américaine... « La partie la plus lourde de l'avion, c'est-à-dire le nez, est tournée vers la terre, explique-t-il, et l'on distingue nettement la tourelle arrière ainsi que la queue. »

Par quel prodige un appareil à hélices datant de la Dernière Guerre mondiale s'est-il retrouvé en orbite autour du globe ? Wesley Bateman croit détenir la réponse. Selon lui, il s'agirait de l'un des cinq avions-torpilleurs qui décolleront le 5 décembre 1945 de Fort Lauderdale, en Floride, et qui ne regagneront jamais leur base...

On en perd la trace moins de trois heures après leur départ, pour ce qui devait être une banale mission d'entraînement. Un hydravion de type Martin, envoyé à leur recherche, disparaîtra lui-même avec 13 hommes à bord. Auraient-ils par hasard rencontré des extraterrestres, comme on le suggérera par la suite ? C'est d'autant plus possible qu'avant de perdre tout contact radio on a entendu le chef d'escadron s'écrier : « Non, ne me suivez pas ! Ma parole, on dirait des Martiens !... »

Pour Wesley Bateman, le fait que l'un de ces appareils gravite autour de la terre est la preuve indiscutable que des extraterrestres sont à l'origine de ces disparitions. D'après lui, en s'entraînant à lâcher des grenades sous-marines, les pilotes ont sans doute dérangé un engin spatial, qui naviguait à ce moment-là sous l'eau. Jaillissant brusquement de l'océan, l'OVNI aurait alors provoqué un gigantesque tourbillon ascendant, et aspiré les avions sur son passage...

Aux sceptiques, il conseille d'examiner le cliché. « Je défie quiconque ne pas y reconnaître un Avenger, et de persister à nier l'existence des OVNIS », déclare-t-il.

Rêves d'éternité

Et si les rêves nous offraient parfois des visions de l'au-delà ? Deux psychiatres suisses, Marie-Louise von Franz et Emmanuel Xipolitas, en sont pour leur part convaincus...

Ils ont analysé près de 2 500 rêves portant sur la vie après la mort. Si ces derniers relèvent le plus souvent d'une interprétation psychanalytique classique, il leur arrive aussi d'être, dans certains cas, tellement précis et évocateurs que le sujet est persuadé ensuite d'avoir effectué un petit voyage « de l'autre côté ». « On se trouverait donc en présence de l'âme de défunts ; du moins tous ces gens en sont-ils certains », expliquent ces deux spécialistes.

C'est d'ailleurs une observation courante chez les mourants, qui, dans leurs moments de lucidité, disent souvent s'être revus dans leur jeunesse, ou bien avoir rencontré des proches disparus...

« Tout se passe comme si, lorsque l'on se trouve à l'article de la mort, preuve nous est donnée inconsciemment que ce n'est pas la fin, mais juste une étape menant à la fusion de notre moi avec Dieu, tel qu'on se le représente. Manière de nous avertir que ce qui n'a pas été réglé ici-bas devra l'être dans l'autre monde, et que sous une autre forme la vie se poursuit... »

Vision de meurtre

Tout débute par un bulletin d'informations à la radio. On recherche une certaine Melanie Uribe, une infirmière de trente et un ans, qui n'a pas reparu à son domicile depuis plusieurs jours. Pourquoi Etta Smith est-elle aussitôt persuadée qu'elle est morte, et que la police fait fausse route en ratissant le quartier ? Et, surtout, pourquoi « voit-elle », littéralement, l'endroit où gît la malheureuse ?

Un peu hésitante au départ, elle prend tout de même contact avec les enquêteurs, puis elle s'en va faire un petit tour dans le vallon qu'elle a visionné tout à l'heure – et bien sûr elle retrouve le corps de la victime...

La police ne croit pas un mot de son histoire de perception à distance. Devenue la suspecte numéro un, elle est arrêtée, et elle passe une semaine en prison. Fort heureusement, le véritable coupable est démasqué, et elle est mise hors de cause...

Furieuse, elle porte plainte pour détention arbitraire, et elle obtient près de 30 000 dollars de dommages et intérêts, maintenant qu'il est établi que ce sont ses dons de perception extrasensorielle qui l'ont conduite jusqu'à Melanie Uribe...

Etta Smith jure bien qu'on ne l'y reprendra plus. « La prochaine fois, je ferai attention à ne pas donner mon nom », explique-t-elle.

Éclaircissements sur le Triangle des Bermudes ?

La disparition mystérieuse d'un hydravion de type Martin et de trois chasseurs-bombardiers TBM-Avenger, le 5 décembre 1945, dans ce qu'il est convenu d'appeler le « Triangle des Bermudes » est-elle en passe d'être élucidée ? Un chasseur de trésors, Mel Fisher, et son équipe auraient en effet retrouvé, ensevelis au fond de l'eau, à une trentaine de kilomètres de Key West (dernière île à la pointe de la Floride), les restes de l'un de ces appareils...

N'en déplaise aux inconditionnels des OVNIS, prompts à imaginer un enlèvement par des extra-terrestres, l'épave en question ne présente aucun signe de « contact » avec des êtres venus de l'espace. Tout porte à croire, au contraire, que l'avion s'est égaré, et qu'il est tombé en panne sèche.

Toute cette affaire est-elle donc tirée au clair ? Loin s'en faut, car les archives de la marine américaine indiquent qu'il ne s'agit pas de l'un des cinq avions incriminés, mais d'un autre TBM-Avenger, disparu trois mois plus tôt. L'un des membres d'équipage, qui a sauté à l'époque en parachute, l'a formellement reconnu...

David Paul Horan, le conseiller juridique de Mel Fisher, ne cache pas sa déception. « En fait, dit-il, on n'a rien trouvé dans les parages qui se rapporte, de près ou de loin, à cet incident... »

Les Hommes bleus

Popularisés par les romans de science-fiction, les « petits hommes verts », censés venir de la planète Mars, appartiennent au domaine de l'imagination. Mais les Indiens bleus sont eux, par contre, bien réels. Deux savants américains ont eu l'occasion de les observer en direct, au cœur des Andes chiliennes...

Un professeur d'université de San Diego, physiologiste de renom, et alpiniste à ses heures, part en expédition au Chili, où se dressent des sommets vertigineux. On estime en général impossible de survivre durablement à plus de 5 500 mètres. Et pourtant, des milliers de gens se sont installés à 6 000 mètres – et ils ont la peau bleue !

Anomalie génétique, maladie endémique ? Contrairement à ces gens rencontrés dans le massif de l'Ozark (entre l'Arkansas et le Montana), les « Indiens bleus » doivent, semble-t-il, leur étrange pigmentation à la pauvreté de l'air en oxygène, à pareille altitude. L'hémoglobine, qui sert à fixer l'oxygène dans le sang, n'est plus que faiblement oxydée, ce qui transparaît sous la peau et lui donne cette teinte bleuâtre...

Il est vraisemblable que, pour compenser, ces gens respirent plus vite et plus profondément, et que tout leur organisme s'est adapté à la vie en haute altitude ; mais pour l'heure, on n'en sait guère plus...

Un autre universitaire américain fera, lui aussi, la connaissance des « Indiens bleus » de la cordillère des ôAndes. Tout en sachant que les moines tibétains présentent parfois des caractéristiques analogues, il sera sidéré de voir que ces hommes, employés dans des mines, effectuent un travail de force à 6 000 mètres d'altitude...

L'Autoroute maudite

La nationale 55 dessert depuis peu la commune de Deptford, dans le New Jersey. Mais ce nouveau tronçon de 7 kilomètres jouit déjà d'une sinistre réputation, propre à faire réfléchir plus d'un automobiliste. Il faut dire qu'il coupe à travers le site d'un ancien village indien, où l'on a retrouvé des tombes datant de huit mille ans... Carl Pierce, alias Wayandaga, sorcier de la tribu des Nanticoke, mettra pourtant en garde les autorités devant les conséquences fâcheuses qu'entraînerait inéluctablement la profanation de la sépulture de ses ancêtres. On lui rira au nez.

« Je les ai prévenus que s'ils s'obstinaient à construire la route à cet endroit-là, les morts se vengeraient », explique-t-il. Rien n'y fait. Il a beau convoquer la presse, alerter l'opinion publique, personne ne l'écoute.

Peu après, la série noire commence. Un premier ouvrier meurt écrasé par un rouleau-compresseur, puis un autre est foudroyé par une embolie cérébrale. Victime de troubles de la circulation, un troisième voit ses pieds bleuir. Le suivant se blesse en tombant d'un pont, et le dernier fait coup sur coup trois crises cardiaques. Enfin, un véhicule transportant cinq hommes du chantier explose en flammes...

« Et maintenant, à qui le tour ? », telle est, nous dit Karl Kruger, un expert dépêché sur place, la question qui revenait sur toutes les lèvres...

Pour Wayandaga, il n'y a pas lieu de tergiverser. « Tant qu'on n'aura pas construit cette route ailleurs, il continuera à y avoir des morts », lance-t-il.

L'autoroute maudite

Les Visions des mourants

C'est un psychologue de l'université du Connecticut qui parle : d'ordinaire, quand on se trouve à l'article de la mort, on ne se contente pas de revivre des épisodes du passé, on fait aussi de véritables bonds dans l'avenir...

Sur une dizaine de cas qui ont retenu son attention, Ken Ring cite notamment celui de cet homme qui, à l'âge de dix ans, lors d'une vilaine opération de l'appendicite, s'est « vu » marié et père de deux enfants. Il était assis dans un fauteuil, et il y avait quelque chose de bizarre sur le mur...

Vingt-sept ans plus tard, en 1968, il va vivre pour de bon la scène. « J'étais en train de lire dans mon fauteuil, avec les enfants autour de moi, quand j'ai eu l'impression fulgurante d'avoir déjà vu tout cela en 1941, alors que je me trouvais sous anesthésie », explique-t-il, précisant que l' « objet bizarre » sur le mur n'était autre qu'une bouche de sortie du système de chauffage par air pulsé, ce qu'il ne pouvait pas deviner étant enfant...

S'il enregistre d'autres témoignages du même ordre, Ken Ring note aussi que certaines personnes font état de véritables « visions historiques » qui leur sont apparues alors qu'elles oscillaient entre la vie et la mort. Dans l'ensemble, elles nous annoncent pour bientôt toutes sortes de cataclysmes – tremblements de terre, famines, guerre nucléaire, sécheresses catastrophiques – qui déboucheront ensuite sur une ère de paix et d'entente internationale...

Ken Ring s'empresse toutefois de relativiser les déclarations de ces gens, qui à son avis nous éclairent surtout sur leur personnalité et sur leurs désirs inconscients...

Clichés d'OVNIS

Il est un peu plus de 9 heures du matin, ce 11 janvier 1973. Peter Day, un ingénieur expert en bâtiment, se trouve sur la route du côté de Cuddington, une petite localité du centre de l'Angleterre, quand il aperçoit soudain une boule orange et intensément brillante dans le ciel... Par chance, il a emporté sa caméra Super-8 avec lui, et il pourra donc filmer cet étrange objet qui rase les arbres à environ 500 mètres de là...

Pour les spécialistes de la Société britannique d'études sur les OVNIS (British UFO Research Association) qui visionnent la bande, son authenticité ne fait aucun doute, bien que le mystère demeure entier. Peter Warrington, un expert en matière de clichés d'OVNIS, qui travaille chez Kodak, à Hemel Hamp stead, conclut lui aussi à l'absence de tricherie. Même son de cloche de la part de Peter Sutherst, conseiller technique chez Kodak également, qui déclare que ce que l'on voit sur le film est en tout cas bien réel...

Sans nier la matérialité du phénomène, un autre chercheur, Ken Phillips, qui analysera lui-même le film avec son équipe, estime qu'il s'agit probablement d'un bombardier américain de type F 111 qui a pris feu peu après son décollage de la base de Heyford, et qui s'est écrasé à 9 h 46 exactement...

Peter Warrington n'en démord pas : « On ne voit rien, sur les agrandissements, dit-il, qui ressemble à un avion. »

Quant à Peter Day, il est sûr et certain de ne pas avoir filmé un appareil civil ou militaire. « Une dizaine de personnes, dont un instituteur et des enfants, verront également un OVNI. Ils en étaient beaucoup plus près que moi, et leurs déclarations recoupent tout à fait ce que l'on voit dans le film », conclut-il.

Des martiens chez les Cariocas

Nous sommes en décembre 1982. Les passagers, pour la plupart, somnolent dans l'avion qui fait la navette ce soir-là entre Fortaleza et Rio de Janeiro. Soudain, on entend la voix du pilote : « J'aperçois au loin un objet étrange, sur ma gauche, et j'aimerais que vous jetiez un coup d'œil. »

Les gens se frottent les yeux. Une lumière intense inonde la carlingue. Pendant près d'une heure et demie, ils vont voir le ciel virer successivement au rouge, à l'orange, au blanc et au bleu...

De sa place, le pilote, Gerson Marciel de Britto, distingue nettement un engin circulaire de type soucoupe volante, équipé de cinq projecteurs, qui se déplace à vive allure. Dans l'incapacité d'établir avec lui un contact radio – il essaie en portugais puis en anglais –, il tente, tout aussi vainement, de communiquer avec l'OVNI par télépathie...

Lorsqu'ils arrivent en vue de Rio de Janeiro, l'objet ne se trouve plus qu'à une douzaine de kilomètres de l'appareil et il continue à se rapprocher. Le radar de l'aéroport ne détectant rien d'anormal, la tour de contrôle prend contact avec trois autres avions présents eux aussi dans les parages. Les pilotes confirment les déclarations de leur collègue. Finalement, l'armée de l'air enverra des chasseurs à la poursuite de l'OVNI, mais les compte rendus de vol ne seront pas divulgués...

La presse s'empare de l'affaire. Des esprits chagrins feront remarquer que Vénus, cette nuit-là, se lèvera à l'est à 3 h 10 du matin. Gerson Marciel de Britto

aurait-il par hasard pris le halo lumineux de la planète rouge pour un OVNI ?
Impossible, dit-il, car il les a vus tous les deux en même temps. D'ailleurs, souligne-t-il, le fait que l'objet en question l'ait suivi, alors qu'il effectuait un virage à 51 degrés, prouve qu'il était guidé par une intelligence? « Si ce qu'il dit est vrai, conclut Allen Hynek, qui dirige le Centre de recherches sur les OVNIS d'Evanston, dans l'Illinois, alors il s'agissait effectivement d'un Objet Volant Non Identifié. »

La Tête et les jambes

Même mort, un corps peut continuer à remuer : c'est l'exemple fameux de ces poulets qui s'enfuient en courant après qu'on leur a coupé la tête...

Au cours de la Révolution française, on fera à l'occasion le même constat sur des êtres humains, les guillotinés de la Terreur, exécutés en place publique. Suivant le cas, le supplicié remue les lèvres, comme s'il voulait parler, ou bien il roule les yeux et bat des paupières, ou bien encore c'est le corps qui de son côté continue à s'agiter, lors même qu'il n'a plus de tête, et donc qu'il est mort...

Tout aussi horrifiant, le cas de ce criminel, George Foster, pendu à Londres en 1803. Aussitôt après l'exécution, un certain professeur Aldini applique par curiosité un aimant sur le corps de ce George Foster. Les résultats, confirmés par les médecins assistant à l'expérience, sont saisissants. Ils indiquent clairement que certains nerfs moteurs peuvent toujours être excités : le mort bouge les jambes, lève une main, serre le poing et ouvre même un œil...

Signalons pour la petite histoire que George Foster prendra à cette occasion sa revanche sur la société. En rentrant chez lui, un chirurgien du nom de Pass sera foudroyé par une crise cardiaque – l'émotion, diront les médecins, aura été trop forte...

Esquimaux évaporés

Si l'on signale fréquemment des disparitions isolées, en 1930 c'est la population entière d'un village dont on perd mystérieusement la trace...

Ce petit hameau du Grand Nord canadien, tout près du lac Angikuni, à environ 800 kilomètres de Churchill, où est cantonné un détachement de la police Montée, abritait une trentaine d'Esquimaux. Malgré tout, des trappeurs y venaient souvent acheter des peaux, et mangeaient chez l'habitant, de la viande de caribou, essentiellement. Pour Joe Labelle, un un Canadien français qui a passé quarante ans à sillonner ces étendues glacées, ces gens étaient des amis...

Cette fois, pourtant, dès qu'il arrive, il y a quelque chose qui cloche. D'abord, les chiens n'aboient pas. Il s'annonce. Rien. Il entre alors successivement dans plusieurs des cabanes en terre. Personne. Une heure durant, il va ratisser le village. Tout le monde a disparu. Il ne décèle aucune trace apparente de lutte : des marmites attendent sagement sur le feu, éteint depuis des semaines. Une aiguille est fichée dans le vêtement que ravaudait une femme. Laissés à l'abandon, les kayaks se brisent à l'amarrage. Quant aux chiens, ils sont morts de faim, attachés à des moignons d'arbres...

Le mystère s'épaissit lorsqu'il se rend au cimetière, où les morts, selon la coutume, sont ensevelis sous des tertres de pierres. On a ouvert une tombe. Elle est vide. Sacrilège impensable chez les Esquimaux, mais néanmoins accompli de main d'homme à en juger par les deux piles de cailloux entassés au pied de la sépulture...

Prévenue, la police montée mènera son enquête. Malgré la légende qui veut qu'aucun coupable ne leur échappe, et une enquête de plusieurs mois, auprès notamment des autres tribus vivant dans la région, les Tuniques rouges ne parviendront pas à élucider le mystère de la disparition de cette trentaine d'Esquimaux, en plein milieu de l'hiver...

Victoire navale en plein désert

Lancé juste à la fin de la guerre de Sécession, l'*Arakwe* est un bateau à aubes, cousin des célèbres vapeurs qui remontent le Mississippi. Armé de quelques pièces de petit calibre, il sert comme canonnière dans la marine américaine. On l'envoie un beau jour au Chili, en visite de courtoisie, et aussi pour montrer le pavillon...

Personne à bord n'imagine qu'il puisse arriver quoi que ce soit, et encore moins qu'on ait à livrer bataille – sur la terre ferme, de surcroît ! C'est pourtant bien ce qui va se passer...

Le capitaine Alexander, au repos dans sa cabine, voit soudain la lampe osciller. Il se précipite sur le pont, et il comprend tout de suite, en voyant la mer se retirer : un séisme sous-marin. Par contrecoup, le raz de marée les jettera sur la côte et, comme des dizaines d'autres bâtiments, l'*Arakwe* ira s'échouer au milieu des terres, au pied d'une falaise. Par rapport à certains, il a subi relativement peu de dommages, même si sa coque plate est éventrée...

Dans leur course folle, les bâtiments ont semé derrière eux leur cargaison. Il n'en faut pas plus pour attirer les pillards. L'*Arakwe* sera menacé. Le capitaine et son équipage les repousseront à coups de pistolet. Mais ce n'est que partie remise...

Impossible, hélas, d'armer les canons, qui seuls permettraient une défense efficace. Coincée sous le pont tordu, la soute à munitions est inaccessible, on peut tout au plus récupérer de la poudre, mais aucun projectile. C'est là que le capitaine va avoir une idée de génie. Il fait charger les canons jusqu'à la gueule, avec, en guise d'obus, des tonnes de fromage puisées dans la réserve...

On attend l'assaut. Le capitaine ne commande le feu qu'au dernier instant. L'effet est dévastateur. Les grosses boules de cheddar et d'emmenthal fauchent des rangées entières d'assaillants. Les autres s'enfuient sans demander leur reste...

Jamais l'*Arakwe* ne reprendra la mer. Officiellement, il a « disparu en mission ». Reste qu'il est, dans les annales de la marine américaine, le seul bâtiment à avoir jamais livré bataille sur terre, et à avoir gagné – grâce à des fromages...

Les Vikings du Tennessee

La découverte remonte à 1874. Dans le Tennessee, à Catalina Springs exactement, on exhume, à côté de tombes indiennes et d'ouvrages en terre, une dalle en granit sculpté, représentant une bataille rangée entre Indiens et Vikings...

Les adversaires se répartissent en deux camps aisément reconnaissables. Tout d'abord, des individus aux yeux en amande, venus probablement de derrière les collines, symbolisées par quatre échancrures verticales. Vêtus de peaux de bêtes, ils ont le visage peint, des bracelets aux poignets et aux chevilles, et des coiffes élaborées...

Les autres, que l'on nous montre avec des yeux étoilés (les hachures figurant, selon deux spécialistes de l'académie de Géorgie, Ruth Verril et Clyde Keeler, les cils, très marqués chez les blonds comme les Scandinaves), ont tout l'air de Vikings. Leur chef arbore un bouclier carré, de facture inconnue chez les Indiens, mais très commune chez les Normands. Par terre, une lance, de même type que celles employées par les terribles Danois (voir à ce sujet le livre de Johannes Bromsfeld : *The Vikings* – Les Vikings). Ces hommes sont tous chaussés de souliers, et l'un d'eux est coiffé d'une sorte de casque grec ou romain, surmonté d'une crête en arc de cercle...

Sans doute ne saura-t-on jamais ce qui a déclenché les hostilités, même si les femmes, de toute évidence, semblent à l'origine de ce bain de sang (l'un de ces hommes aux yeux en étoile n'est-il pas tout bonnement décapité ?). Oui, on voit une femme aux yeux en amande, portant jupe et chaussures, se cramponner à ce qui ressemble à une ceinture de coquillages – offerte en gage d'amitié ? – qu'essaie de lui arracher un homme de sa tribu. Un autre guerrier du groupe adverse est, quant à lui, à genoux à l'intérieur d'une habitation, sans doute celle d'un sorcier, nous disent Ruth Verrill et Clyde Keeler.

Mais ce qui laisse d'abord et surtout penser que l'on a affaire à des Vikings, aux prises avec ces Indiens, c'est leur bateau, avec un seul mât, barré d'une unique vergue, exactement comme les barques en chêne utilisées par les Normands jusqu'au XIIIe siècle... Debout à la proue du navire, leur chef porte un casque avec les deux cornes, signe distinctif caractéristique. Sur leur banc, cinq rameurs, maniant des avirons terminés par des pales arrondies, tout comme sur les pierres gravées découvertes en Suède, et datant de l'âge du fer... Au milieu du navire un grappin, et à l'arrière une amarre qui plonge dans l'eau. On voit aussi une ancre de même type que celles qu'utilisaient à l'occasion les Normands...

S'il s'agit donc bien de Vikings, en train d'en découdre avec les Indiens, comment diable sont-ils arrivés jusque-là au fin fond du Tennessee ?

D'après Ruth Verrill et Clyde Keeler, ils auraient pu remonter le Mississippi, depuis son embouchure dans le golfe du Mexique, puis successivement l'Ohio et le Cumberland, avant d'atteindre Rock Creek, et enfin Catalina Springs, là où précisément on a retrouvé cette fameuse scène de bataille gravée sur la pierre...

Le Retour de John Paul Jones

Un jeune capitaine au long cours dans la marine marchande anglaise, John Paul, d'origine écossaise, essuie une mutinerie lors d'une traversée en 1773, et il tue un membre d'équipage. A son arrivée à Tobago, une île des Antilles britanniques, il est arrêté. Passible de la peine de mort, il parvient à s'enfuir et à gagner l'Amérique, alors colonie de Sa Majesté.

Là, il est pris en charge par des gens dont il va adopter le patronyme. Désormais, il s'appelle John Paul Jones – nom qui sera ensuite si cher au cœur de ses nouveaux compatriotes que les autorités américaines financeront, au début du xxe siècle, une véritable expédition souterraine pour récupérer son corps.

Sous les ordres de l'amiral John Paul Jones, la flotte des Insurgents américains battra à maintes reprises celle du roi d'Angleterre. Après la guerre de l'Indépendance, il reprendra du service, auprès cette fois de la Grande Catherine de Russie, qu'il aide à se débarrasser des navires turcs...

Ce valeureux marin devra néanmoins s'incliner devant la maladie, et il mourra seul à Paris, à l'âge de quarante-cinq ans. Les Américains feront embaumer sa dépouille, mais on oubliera ensuite de la rapatrier au pays, comme il était prévu. Voilà donc ce héros de la guerre de l'Indépendance américaine inhumé à Paris. Cent treize ans plus tard, on se décide enfin à ramener ses cendres aux États-Unis. Seul ennui, on ne sait plus très bien où il repose...

A la place du cimetière où il a été enterré se dressent maintenant entreprises, commerces, et même un hôpital. Finalement, en fouillant dans les archives, on parvient à localiser sa tombe. Mais comment y accéder ?

Seule solution, forer une galerie jusqu'à l'endroit en question. On fera pour cela appel à des mineurs...

A l'ouverture du cercueil, on identifie tout de suite son corps, en bon état de conservation.

Transporté aux États-Unis, l'amiral John Paul Jones, eu égard aux éminents services qu'il a rendus à la patrie, sera conduit, avec tous les honneurs, au cimetière d'Annapolis, en compagnie de ses pairs. Pour son dernier voyage, il sera escorté par des bâtiments de cette marine américaine dont il aura été, au XVIIIe siècle, l'un des fondateurs...

Le Cheval médium

Une habitante de Richmond, capitale de la Virginie, acquiert en 1925 un poulain de deux semaines. L'animal ne va pas tarder à étonner par son comportement. Suffit-il, ainsi, qu'on ait envie de le voir pour qu'il vienne de lui-même, sans qu'il soit besoin de l'appeler... Deux années passent. Lady Wonder, puisque c'est ainsi que s'appelle cette jeune jument, est capable de compter et d'écrire, en poussant avec le museau des lettres-cubes.

Cette jument si douée peut aussi, à l'occasion, prédire l'avenir avec une précision stupéfiante. Elle annoncera notamment l'élection de Franklin Delano Roosevelt à la présidence des États-Unis, avant même qu'il soit désigné comme le candidat du parti démocrate, et, en dix-sept ans, elle donnera quatorze fois le résultat des championnats du monde de base-ball. Mieux, c'est grâce à elle que l'on retrouvera deux enfants, morts accidentellement.

Au début des années 50, la police du comté de Norfolk, dans le Massachusetts, qui recherche en vain un garçonnet de quatre ans, Danny Matson, sollicite le concours de Lady Wonder. Celle-ci désignera une ancienne carrière inondée. Les enquêteurs se sont déjà rendus sur les lieux, mais par acquit de conscience ils décident d'y retourner – et cette fois ils repêchent le corps du petit Danny...

En octobre 1955, c'est un bambin de trois ans, Ronnie Weitcamp, qui abandonne ses trois petits camarades et la maison de ses parents pour aller faire un tour en solitaire. On ne le reverra pas vivant. Des hommes du shérif et de la police de l'état de l'Indiana, assistés de 1 500 militaires, ratisseront des centaines d'hectares de forêt, sans trouver trace de Ronnie...

Enlèvement ? Assassinat ? L'enfant se serait-il par hasard égaré ? La police enregistre bien une foule de témoignages, mais aucun ne débouche sur une piste solide. Ronnie Weitcamp s'est évanoui dans la nature. Le 22 octobre, on arrête les recherches.

Frank Edwards, le directeur de l'information à WTTV, une chaîne de télévision de Bloomington, se souvient alors des étranges pouvoirs de Lady Wonder. Il demande à un ami résidant en Virginie d'aller voir si la jument pourrait être d'un quelconque secours.

Lady Wonder a désormais trente ans, âge canonique pour un cheval. Elle répondra néanmoins sans difficulté aux questions de ce monsieur.

Quand il lui demande d'expliquer la raison de sa présence, elle fait tomber trois lettres en fer-blanc : B-O-Y (garçon, en anglais). De même, elle épellera le nom de l'enfant : R.O.N.E...

Selon elle, l'enfant n'a pas été enlevé, il s'est tué en tombant dans un trou, situé dans un rayon de 400 mètres à 1,5 kilomètre de la maison.

« Qu'y a-t-il à côté de lui ? – Un orme », répond la jument, qui ajoute que son cadavre repose sur un terrain sablonneux, et qu'on le retrouvera en décembre...

Frank Edwards diffusera les réponses de ce cheval parlant et clairvoyant le 24 octobre 1955. Comme on pouvait s'y attendre, il essuiera sarcasmes et moqueries – jusqu'à ce que deux adolescents découvrent par hasard le corps de Ronnie.

Il gisait près d'un orme, au fond d'un ravin sablonneux, et l'on était en décembre...

La Mort d'un héros

Aux États-Unis, l'expédition de Clark et Lewis, qui explorèrent le nord-ouest du pays entre 1804 et 1806, est restée dans toutes les mémoires. Ce que l'on sait moins, par contre, c'est comment Meriwether Lewis a terminé ses jours. Cette figure de légende de l'histoire américaine trouvera en effet la mort dans des circonstances extrêmement mystérieuses...

Accusé – à tort – de malversations financières, commises lors de son mandat de gouverneur de Louisiane (alors simple territoire), il est convoqué à Washington en octobre 1809, pour répondre des charges qui pèsent sur lui. (Il sera ultérieurement, et à titre posthume, innocenté.) Il fait le voyage en compagnie du major John Neely. Dans les montagnes du Tennessee, ils sont surpris par l'orage, et plusieurs mules chargées de dossiers s'enfuient. Le major Neely se lance à leur poursuite.

Meriwether Lewis continue tout seul. C'est un homme brisé : rongé par la malaria, atteint dans son honneur, et désespéré d'avoir essuyé un refus de la part de la fille du vice-président Aaron Burr... Il va s'arrêter à la première ferme sur son chemin, et y demander l'hospitalité...

Les Griner lui offrent volontiers le gîte et le couvert pour la nuit. Il mange en silence, sans dire son nom, et puis il va se coucher. Ses hôtes entendent bien des bruits de voix dans sa chambre, mais comme les chiens n'aboient pas ils supposent qu'il parle tout seul.

Peu avant l'aube retentit une détonation. De la

pièce voisine parviennent des gémissements... Les Griner se précipitent, leur voyageur est en train d'agoniser, dans une mare de sang... « Je ne suis pas un lâche, mais mourir... Mourir déjà... » trouve-t-il la force de dire, avant d'expirer...

En fouillant dans ses affaires, on découvre un document au nom du capitaine Meriwether Lewis, domicilié à Albermale, Virginie...

Il ne peut en aucun cas s'agir d'un suicide, car son fusil était posé contre le mur, et le canon était froid... N'est-il pas non plus étrange que le major Neely ait mis toute la nuit à récupérer les mules ? Il n'arrivera officiellement sur place que le lendemain matin. Où était-il vraiment à l'heure du « crime » ?

Si crime il y a eu, ce qui semble le plus vraisemblable, aurait-on supprimé Meriwether Lewis pour l'empêcher de faire des révélations compromettantes ? Qui sait...

Le Monstre du Devonshire

Quand il arrive au petit matin à sa boutique, Georges Fairly, boulanger à Topshaw, dans le Devon shire, en Angleterre, remarque de drôles de traces semi-circulaires dans la neige. Qu'est-ce qui a bien pu laisser ces curieuses empreintes ? Elles longent le mur, s'interrompent sur une dizaine de mètres, comme si cette mystérieuse créature l'avait escaladé, puis elles reprennent et s'éloignent en direction de la baie...

Là où l'histoire se corse, c'est que des milliers de gens recevront également, cette nuit-là, en février 1855, la visite d'une bête qui sautera les clôtures, galopera dans les jardins et jouera sur les toits, semant sur son passage des traces de pas en arc de cercle...

Comme on discerne la marque de deux ongles, on en déduit qu'elle a les pieds fourchus, et l'on pense toute de suite au diable.

Dans son édition du 16 février 1855, le *Times* parle, quant à lui, d'un étrange bipède, qui a laissé, à intervalles réguliers, des empreintes de 4 à 6 centimètres de long, ressemblant vaguement à celles d'un âne...

Quoi qu'il en soit, l'animal a dû se mettre en route après que la neige eut cessé de tomber, et repartir ensuite avant le lever du jour, franchissant même deux rivières, dont l'Ex...

En définitive, personne ne l'a vu, celui que la rumeur baptise « le monstre du Devonshire », et il ne fera plus jamais parler de lui dans la région. Mais c'est aux îles Kerguelen que l'on retrouve sa trace, au sens propre du terme. Un explorateur, J.C. Ross, raconte qu'on y relèvera des empreintes curieusement analogues : d'environ 7 centimètres de long sur 6 de large, elles sont incurvées, et nettement marquées sur les bords, comme celles d'un cheval...

Et si la bête venait de la mer ? Citons à ce propos deux découvertes troublantes : en novembre 1953, d'abord, une créature en état de décomposition avancée vient s'échouer sur l'île de Canfey. Mesurant dans les 70 centimètres, elle a, comme nous, deux jambes et deux pieds, mais pas de bras. L'année suivante, le révérend Joseph Overs en repêche une autre dans une darse. Deux fois plus grande que la précédente, elle a également des espèces de jambes. Le rapport de police mentionne aussi de grands yeux, une bouche béante, deux trous en guise de nez, et des branchies... A l'inverse d'un poisson, elle n'a pas d'écailles, mais une peau rose et épaisse...

C'est la forme des pieds qui met la puce à l'oreille. Tout comme le « monstre du Devonshire », ou des Kerguelen, la bête possède cinq orteils à chaque pied, disposés en arc de cercle autour d'une voûte plantaire fortement accentuée...

De la friture sur la ligne...

Vous avez du mal à joindre New York ou Rio de Janeiro ? Il y a des parasites, on entend mal ? Inutile de vous énerver, c'est juste un requin qui tire sur le fil...

Non, ce n'est pas une blague, mais un constat opéré par les ingénieurs des télécommunications qui, en examinant les câbles sous-marins défectueux, trouvent bien souvent des dents de squale. Même les nouveaux câbles, pourtant beaucoup plus discrets que les précédents, sont attaqués, au grand dam des compagnies qui se ruinent en frais de réparation...

Pourquoi diable ces vilaines bêtes s'en prennent-elles à ces câbles ? Il se pourrait que ce soient des vibrations qui les attirent. Les fibres optiques, tendues à l'extrême, émettraient ainsi des ondes acoustiques, aussitôt perçues par ces redoutables chasseurs – détail d'importance pour tous les plongeurs munis d'appareils électroniques...

Les constructeurs envisagent désormais de placer les futurs câbles dans une gaine d'acier, sur laquelle les méchants requins viendraient se casser les dents...

L'Arbre cannibale

Roger Williams émigre aux États-Unis en 1631. Apôtre de la liberté de conscience, il sera vite chassé du Massachusetts, mais son franc-parler et ses opinions bien tranchées lui vaudront l'estime des colons du futur état de Rhode Island, auprès desquels il jouera un rôle prépondérant. On a beaucoup écrit à son sujet – en oubliant le plus cocasse, à savoir qu'il a été mangé par tout le village...

Il s'éteint en 1683. On l'enterre sur sa propriété, aux côtés de son épouse. Une simple dalle marque la tombe. Quelques années plus tard, on décide d'offrir une sépulture plus convenable au grand homme, et l'on fait dresser à cette occasion un monument funéraire...

Seulement voilà : quand on ouvre le caveau pour transférer les époux dans leur dernière demeure, il est vide ! Qui peut bien avoir commis pareil sacrilège ? Un pommier, oui, et qui donne même des fruits particulièrement savoureux...

Ses racines ont en effet éventré les cercueils par le milieu. Peu à peu, l'arbre a « absorbé » les restes de Roger Williams et de sa compagne. Curieusement, les racines, conservées par la Société historique de Rhode Island, évoquent l'appareil circulatoire...

Telle est donc la véridique histoire de ces braves gens qui, croquant innocemment les délicieuses pommes rouges de cet arbre magnifique, dévorèrent à leur insu l'un des personnages les plus marquants de l'Amérique du XVIIe siècle, ainsi que sa tendre épouse...

Témoignages sur l'au-delà

La médecine moderne fait souvent des miracles. On sauve ainsi de plus en plus d'accidentés ou de gens victimes d'infarctus. Du même coup, on dispose de quantité de témoignages sur ce qu'il y a « de l'autre côté »...

Des cardiologues de Denver, dans le Colorado, ont passé au crible les déclarations de 2 300 personnes ranimées *in extremis*. Dans 60 % des cas, c'est la même histoire : on parle d'un endroit baigné de lumière, où attendent des parents et des amis disparus...

Hormis les détails, tous les récits en général concordent. Une fois franchi le stade de la mort clinique, on assiste, semble-t-il, à son propre trépas (quelles qu'en soient les circonstances : accident, opération, etc.). En toute lucidité, on se détache de son corps. L'esprit dès lors se déplace librement, et l'on voit, par exemple, l'équipe médicale s'affairer autour de notre dépouille inerte. On se sent alors aspiré dans un long tunnel obscur, au bout duquel brille une lumière...

On se retrouve au grand jour, dans un cadre exquis. Une immense sérénité nous enveloppe. Des amis ou des proches décédés se tiennent à distance, séparés d'ordinaire par un obstacle naturel, tel qu'un cours d'eau. Suivant le cas, ils nous invitent à les suivre ou bien à rebrousser chemin...

De nouveau, on replonge dans les ténèbres. Cette fois, explique Jim Graves, que passionnent ces expériences de mort apparente, on est accueilli par une colonne de lumière, et aussitôt rempli d'allégresse. Qu'y a-t-il en face de nous ? On ne le sait pas au juste, mais le fait est que l'on revoit en accéléré tout le film de son existence, et que l'on doit répondre à la question : « Qu'as-tu fait de la vie que je t'ai donnée ? »

Toujours selon Jim Graves, qui a commencé à s'intéresser au sujet dans les années 60, quand il enseignait la psychologie à l'IUT de Muskegon, dans le Michigan, la plupart du temps, on n'a aucune envie de revenir en arrière. La lumière nous plonge dans un état de totale béatitude. « C'est la dernière étape. Au-delà, on n'en revient pas », conclut-il.

Cela dit, les expériences du seuil de la mort ne sont pas, loin s'en faut, toutes aussi agréables, ce couloir obscur pouvant aussi bien déboucher sur un endroit lugubre et désolé, où des misérables tournent en rond comme des âmes en peine...

Certes, on prétend parfois que tout cela n'est que délire, causé par les médicaments, ou normal quand le cerveau est privé d'oxygène. Mais alors, comment expliquer que l'on se sente aussi, en général, flotter au-dessus de son propre corps ? Tel, par exemple, ce monsieur, victime d'un arrêt cardiaque lors d'une intervention chirurgicale. A son réveil, il donnera le nom exact du pharmacien de l'hôpital qui a délivré le remède permettant de le sauver. Par quel prodige ? Tout simplement, dit-il, parce qu'il a « accompagné » l'infirmière à la pharmacie. « J'ai toujours eu confiance en vous. C'est pourquoi je vous ai suivie », déclarera-t-il prosaïquement à cette dame...

Tortues géantes

Quand on parle de monstres marins, on évoque spontanément des reptiles gigantesques, genre dinosaures. Mais ce que l'on voit en réalité, sur un peu toutes les mers du globe, ce sont des tortues géantes...

Christophe Colomb lui-même en signalera une en 1484, au large de Cadix. Il la décrira comme « un horrible monstre des mers, de la taille d'une petite baleine, avec une carapace de tortue, une tête hideuse grosse comme un tonneau, et deux nageoires »...

Cinq siècles plus tard ou presque, en octobre 1937, un pêcheur cubain remonte dans ses filets une espèce de tortue géante, mesurant dans les 5 mètres de long, et pesant plusieurs centaines de kilos. Les zoologistes qui l'examinent lui donnent environ cinq cents ans...

En mars 1955, un homme qui dérive depuis dix jours, sans eau ni nourriture, sur un radeau au large de la Colombie, aperçoit une créature du même genre, mesurant à peu près 4 mètres. Dans un article, Gabriel Garcia Marquez, prix Nobel de littérature, précise qu'il s'agissait d'une énorme tortue, à la tête féroce, et aux yeux énormes et vitreux...

Un pêcheur de Miami, Bruce Mounier, tombera quant à lui nez à nez avec une tortue gigantesque, au cours d'une plongée sous-marine aux Bahamas. Pesant dans les 100 kilos, « elle avait une tête de singe, le front saillant, et un cou de serpent »...

Si tout cela est vrai, d'où viennent toutes ces tortues géantes ? On en a vu dans les Caraïbes, au large du

Canada et des côtes de l'Europe – c'est-à-dire sur le passage du Gulf Stream ; d'où l'on peut en déduire que ces énormes bêtes vivent et prolifèrent dans le courant océanique...

Le Chiffre de la Bête

Comme tous les manifestants du monde, ces Athéniens en colère défilent avec pancartes et banderoles. La manifestation n'a pourtant rien de politique, et leur sujet de mécontentement est pour le moins original. Ne protestent-ils pas contre le numéro de code magnétique figurant sur les nouvelles cartes d'identité : 666 ?...

A la fin du Nouveau Testament, dans l'Apocalypse selon saint Jean, 666 est le chiffre de la Bête, ou de l'Antéchrist, et il désigne l'œuvre de Satan. Pour l'archevêque orthodoxe Afxentios, ce sont à n'en point douter « les puissances des ténèbres » qui ont inspiré cette funeste mesure...

En tout cas, les milliers de personnes qui défilent ce jour-là dans les rues d'Athènes, en 1986, sont la preuve que l'on ne plaisante pas, dans cette vénérable cité, avec les ruses du Malin...

De son côté, les Écritures sont formelles : « C'est ici qu'il faut de la finesse ! Que l'homme doué d'esprit calcule le chiffre de la Bête, c'est un chiffre d'homme : son chiffre, c'est 666. » (Apocalypse 13, 18.)

Le Rideau tombe

L'histoire se passe à Baltimore, en novembre 1986. On donne ce soir-là la dernière représentation de *L'Ivrogne* (The Drunkard), une comédie musicale. Edith Weber incarne depuis huit ans une vénérable grand-mère, qui s'effondre après avoir chanté : « De grâce, ne parlez plus de moi une fois que je serai partie »... Qui aurait cru qu'elle allait jouer son rôle jusqu'au bout, et mourir pour de bon sur scène ? Les autres membres de la troupe comprennent tout de suite, en ne la voyant pas se relever, mais la salle croule sous les applaudissements, après ce morceau de bravoure. Quand enfin on réalise ce qui se passe, la salle tout entière se lève, dans un silence ému...

Ils vous tiennent à l'œil!

Des monstres, avec des yeux partout, ça ne court pas les rues, heureusement. Mais il en existe. Eh oui, même que les annales de la médecine et de la terratologie fourmillent de cas!...

Commençons par le plus ordinaire : deux paires d'yeux juxtaposées. Évidemment, ça surprend. Mais on finit par s'habituer, et d'ailleurs, ça présente l'avantage, pour l'intéressé, de pouvoir regarder dans quatre directions différentes, tel ce monsieur de Crickalde, dont l'histoire nous est contée dans la *Revue médicale de Boston*, édition de 1854, qui précise que l'individu en question possédait également une voix de fausset des plus irritantes.

Mais la palme de l'originalité revient sans conteste à un Anglais, comme il se doit. Surnommé le « Janus de la Gentry », Edward Mordrake a, lui, carrément deux visages, accolés de part et d'autre du crâne. Celui de derrière n'est en fait qu'une ébauche, hormis les yeux, fixes, inquiétants, et les lèvres, mouillées de bave entre les oreilles...

Toute sa vie, il se prendra pour son double, et il mourra dans un asile.

N'oublions pas non plus ce malheureux cyclope, qui vécut voilà un siècle au fin fond du Mississippi. Jamais il n'acceptera de se produire dans des foires ou des cirques, foudroyant les amateurs de sensationnel et autres importuns – d'un! – œil noir...

Graffiti nationaliste

Au matin du 7 décembre 1939, un graffiti en lettres énormes barre toute la largeur du trottoir devant le lycée de Owensville, une petite localité de l'Indiana. Acte d'un vandale, pense-t-on, sans y attacher plus d'importance. Et puis d'abord, qu'est-ce que cela peut bien vouloir dire : « Souvenez-vous de Pearl Harbor ! » ?

On ne saura jamais qui a laissé ce message sibyllin, et bientôt on n'en parlera plus. Deux ans plus tard, jour pour jour, les Japonais attaqueront par surprise la flotte américaine dans la rade de Pearl Harbor, et « Souvenez-vous de Pearl Harbor ! » deviendra le cri de guerre de l'Amérique...

La Tête dans le seau

Un portrait n'est pas nécessairement tracé de main d'homme. Il peut, à l'occasion, se dessiner de lui-même, comme en 1948, dans le comté de Northamptonshire, en Angleterre, où un visage se peint dans un seau de lait...

Margaret Leatherland est en train de traire ses vaches, quand, stupeur, un visage souriant s'imprime au bord du récipient, juste au-dessus du lait! Pas de doute, c'est son frère, Sir Robert Fossett, un célèbre directeur de cirque...

Alertés, ses proches font le même constat. Il s'agit bien de Sir Robert... L'intéressé n'aura malheureusement pas le temps de s'admirer, car il mourra quelques semaines plus tard...

Margaret Leatherland fera tout pour se débarrasser de cette image obsédante. Mais elle aura beau frotter le seau à la soude et aux détergents, le visage ne fait que s'estomper, pour réapparaître avec la même netteté qu'auparavant...

L'affaire s'ébruite. On publie dans la presse une photo de ce personnage, gravé sur un seau de lait. Un membre de la Société de parapsychologie de Northampton, venu tout exprès, sera le premier médusé...

Quant à Margaret Leatherland, elle finira par se lasser, et elle jettera ce seau « magique », où il suffisait de verser du lait pour qu'apparaisse le visage de son défunt frère...

Grenouille antédiluvienne

Le *Salt Lake City Desert News* du 2 février 1958 annonce en première page que quatre ouvriers d'une mine d'uranium de l'Utah ont fait une découverte sensationnelle. En dégageant une veine de minerai enfouie sous le grès, Charles North, son fils, son frère et un collègue tombent sur un arbre pétrifié, et ils sont obligés de le faire sauter.

Sous l'effet de la déflagration, le tronc éclate, laissant apparaître une petite niche, où repose une minuscule grenouille brunâtre... Elle ressemble tout à fait à un batracien moderne, sauf qu'au lieu d'avoir les pattes palmées, elles sont terminées par des sortes de ventouses. Quel âge a-t-elle ? Elle a dû naître bien avant les premiers hommes. En tout cas, à en juger par les dimensions de la cavité, qui a d'abord épousé la forme de son corps, elle s'est tassée sur elle-même au fil du temps, et elle a rétréci d'un tiers...

Mais le plus incroyable, c'est que cette bestiole, figurez-vous, après des millions d'années, est toujours vivante ! Les quatre hommes sont formels : elle bouge...

Le xxe siècle, hélas, ne lui réussira pas. Dès le lendemain l'animal se rendort, cette fois du sommeil éternel...

L'Impossible Portrait

Une artiste-peintre anglaise, Margaret Moyat, se réveille toute chose un beau matin de juin 1953. Dans son rêve, un inconnu la dévisageait en souriant...

On aurait même dit qu'il posait devant elle. Cela va tellement la marquer qu'elle se résout à le peindre. Elle travaille d'arrache-pied, et en deux jours le tableau est terminé.

Quelques mois plus tard, notre amie reçoit la visite de deux dames, habitant l'une et l'autre depuis plus de trente ans à Eythorn. Elles sursautent toutes les deux en voyant la toile accrochée au mur : le révérend Hughes ! Oui, l'ancien pasteur de la ville, mort depuis un quart de siècle ! Témoignage confirmé ultérieurement par d'autres personnes qui ont connu le défunt...

Par quel prodige Margaret Moyat, qui venait à peine de s'installer dans la région, a-t-elle tracé le portrait d'un monsieur décédé vingt-cinq ans plus tôt, et dont elle n'avait jamais entendu parler ?

L'Empreinte de l'innocence

Qui n'a entendu parler des « sorcières de Salem », ces femmes de Nouvelle-Angleterre accusées, au XVIIIe siècle, d'avoir pactisé avec le Diable, et qui termineront au gibet ? La même hystérie sévira un peu plus loin, dans la petite ville de Buckstone, sur l'instigation de son fondateur, un certain colonel Buck. Pervers et cruel, celui-ci prendra un malin plaisir à persécuter une pauvre vieille, desservie par un physique ingrat. Sous prétexte qu'elle a l'air bizarre, avec son menton en galoche et son regard perçant, on va la traîner devant les tribunaux...

Convaincue de sorcellerie, elle clame haut et fort son innocence. On tente en vain de lui arracher des aveux sous la torture. Finalement, sur ordre du colonel, elle est pendue...

Avant de mourir, la vieille femme maudira le nom de John Buck, son meurtrier, dont la tombe, à l'entendre, sera plus tard stigmatisée par une trace de pied...

Le colonel prendra la menace très au sérieux, qui, avant de trépasser, donnera des consignes expresses pour que l'on veille à l'entretien de sa sépulture. Sa famille fera donc ériger tout exprès une stèle en marbre blanc...

Las ! Effarés, le pasteur et son sacristain voient se dessiner, jour après jour, une ombre sur la pierre, qui prend indiscutablement la forme d'une trace de pas... On a beau la gratter, à chaque fois elle réapparaît...

L'affaire s'ébruite ; les curieux affluent. De guerre

lasse, les proches du colonel lui font bâtir une autre stèle. Peine perdue. L'empreinte d'un pied s'inscrit de nouveau dans la pierre!
Ainsi s'accomplit la vengeance posthume d'une victime de l'arbitraire sur son bourreau...

Le Cercueil en trop

La scène se déroule dans le Connecticut, à Wesport, en septembre 1956. Harry Kalabany et son frère Henry sont en train de bêcher autour du caveau de famille, dans le cimetière de Green Farms, jouxtant l'église congrégationaliste. Ils buttent soudain sur quelque chose. Ils regardent : un cercueil ! Personne, pourtant, n'est censé être enterré ici...

De qui peut-il bien s'agir ? Ils ouvrent le cercueil. A l'intérieur repose un inconnu d'une cinquantaine d'années, au teint rougeaud, et vêtu d'un costume de bonne coupe. Comme on ne parvient pas à l'identifier, ils n'ont pas l'autorisation de le déplacer, et ils sont obligés de l'ensevelir au même endroit. Tout de même, ils aimeraient bien savoir le nom de cet individu, qui est inhumé aux côtés de leurs proches...

Le printemps venu, la police se décide enfin à leur prêter secours. On déterre de nouveau le mort. Stupeur : au lieu d'un cadavre récent et encore bien conservé, on ne trouve plus que le squelette décharné d'un homme mort depuis au moins un demi-siècle...

Harry et Henry Kalabany auront beau jurer que ce n'est pas le même, on rebouche la tombe, et l'affaire est classée.

Jamais les deux frères ne sauront qui était ce monsieur aperçu au départ. S'agirait-il, par hasard, d'une personne assassinée, dont on aurait ensuite substitué le corps avec un squelette poussiéreux ? Ou bien ce même cadavre, intact au moment de l'ouverture du cercueil, se serait-il alors rapidement décomposé ? A moins que, par un quelconque mystère, ces ossements leur soient tout d'abord apparus avec leur enveloppe corporelle, dissoute depuis des lustres...

Géant préhistorique

Deux chercheurs d'or prospectent, en juillet 1877, les collines dominant Spring Valley, non loin d'Eureka, dans le Nevada. Çà et là ils fendent des pierres, à l'affût d'éventuelles traces de minerai précieux. L'un d'eux est intrigué par une excroissance, sur une corniche rocheuse. Il va voir de plus près. En fait d'or, il va découvrir les restes d'un géant de la préhistoire...

Les ossements noircis que ces hommes vont extraire à la pioche de la couche de quartz correspondent à la partie inférieure d'une jambe, sectionnée à hauteur de la rotule. Mesurant pratiquement un mètre, du genou à la cheville, elle devait appartenir à un être immense...

D'après les médecins d'Eureka qui l'examineront, c'est bien une jambe d'homme, datant d'une époque immémoriale...

Alertés par la presse, plusieurs muséums d'histoire naturelle enverront des spécialistes récupérer le reste du squelette. Tous, cependant, rentreront bredouilles...

Disparus dans le désert

Le Moyen-Orient est en fièvre, durant l'été 1924. Les affrontements se multiplient en Mésopotamie, où les Anglais s'efforcent tant bien que mal de garder le contrôle de la situation. Le 24 juillet, W.T. Day et D.R. Steward, respectivement capitaine et sous-lieutenant dans l'armée de l'air, décollent pour un vol de reconnaissance de quatre heures.

Ils ne rentreront jamais à leur base... On lance aussitôt les recherches. Dès le lendemain, on retrouve l'avion. Il est en parfait état, et il démarre au quart de tour, ce qui exclut l'hypothèse de la panne sèche, et prouve également qu'il n'a pas été abattu par des rebelles. Mais où donc sont passés les pilotes ? Et puis d'abord, quelle mouche les a piqués, de venir se poser ici, en plein milieu du désert ?

Les deux hommes se sont éloignés ensemble de l'appareil. On suit leurs traces sur une cinquantaine de mètres. Puis, d'un seul coup, plus rien, comme s'ils s'étaient évanouis en fumée...

On aura beau mobiliser tous les avions d'observation disponibles, et faire appel à l'armée et aux bédouins pour ratisser le secteur, le capitaine Day et le sous-lieutenant Steward resteront introuvables; à croire qu'ils se sont volatilisés, ou bien que quelqu'un, ou quelque chose, venu du ciel les a enlevés...

Mystère en haute mer

La nuit vient de tomber. La mer est calme, les étoiles s'allument dans le ciel. Un vapeur, le *Fort Salisbury*, fait route plein sud au milieu du golfe de Guinée. Le capitaine va se coucher tranquillement. A 3 h 15 du matin, il est réveillé en sursaut par la sirène du navire...

Là, droit devant eux, à quelques encablures, flotte une énorme chose !...

Le second se précipite à la passerelle, et il fait braquer les projecteurs dans sa direction. Au dire de tous les témoins, « ça » ressemblait à une espèce de gigantesque engin volant en métal, muni de feux de position orange-vert à un bout et bleu-vert à l'autre. Il en parvenait comme un bruit de machines, et l'écho de conversations...

Lentement, le mystérieux vaisseau s'enfonce dans les flots. Le capitaine s'empare d'un porte-voix, il propose du secours. Le disque de métal disparaît bientôt sous la surface...

Secours miraculeux

Un homme est en prière, à genoux devant le crucifix... « Un accident ! Je viens de l'entendre ! » s'exclame-t-il en bondissant. Médusée, sa femme le voit sortir en courant, puis démarrer en trombe...

Un accident de la circulation vient de se produire, il en est sûr. Mais où ? Se fiant à son instinct, Robert Wheeler part à l'aventure dans les rues de Charlotte (ville de Géorgie). Il suit d'abord Park Road, puis il bifurque à droite et descend vers le port. Tout est normal.

« Il ne fera pas 200 mètres sur Montford Street, raconte le *Charlotte News*, avant de tomber sur une voiture écrasée contre un poteau. »

Il se précipite. De la carcasse proviennent des cris et des gémissements. « Au secours ! Howard, aide-moi ! » C'est son vieil ami Joe Funderburke, qui est coincé sous l'amas de ferraille. Les médecins le sauveront de justesse : « Une demi-heure de plus, et c'était trop tard », déclare le chirurgien...

Comment Robert Wheeler a-t-il bien pu entendre le bruit d'un accident à plus de 3 kilomètres de distance ? Cela reste un mystère.

Cinque

Tout le monde se souvient de l'enlèvement de Patricia Hearst, en 1974. La fille d'un milliardaire californien est enlevée à San Francisco. L'un de ses ravisseurs se fait appeler « Cinque », par référence au jeune Noir qui, avec les siens, s'empara jadis du navire l'emmenant comme esclave aux Antilles...

Capturé en 1839 sur la côte de la Sierra Leone, Cinque, de la tribu des Mende, fait partie d'un lot d'esclaves envoyés à Cuba. En chemin, le bateau est arraisonné par la marine britannique, qui tente d'enrayer la traite des Noirs, et il regagne son point de départ sous bonne escorte. Qu'à cela ne tienne : Cinque est réexpédié par le premier bateau en partance pour Cuba, en l'occurrence l'*Amistad*. En mer, un cuisinier, lui-même de la tribu des Mende, fait courir le bruit que les prisonniers vont tous être tués, et transformés en petit-salé... L'heure de la révolte a sonné! Cinque réussit à forcer ses chaînes; il libère ses compagnons, et avec eux il prend le contrôle du navire. Va dès lors s'ensuivre un étrange ballet sur l'Atlantique : le jour, le bateau pique droit sur l'Afrique, à l'est, mais la nuit, les marins espagnols, qui seuls à bord savent s'orienter d'après les étoiles, mettent le cap à l'ouest. Bon an mal an, l'*Amistad* jette l'ancre un beau matin devant Montauk Point, sur l'île de Long Island, au nord de New York. Inutile de dire que tout ce petit monde est bien vite arrêté...

L'affaire prend rapidement des dimensions nationales. Les abolitionnistes se regroupent au sein d'un « Comité de défense des Africains de l'*Amistad* », où figurent trois anciens présidents, John Quincy Adams, Emerson et Garrison. Nul besoin de préciser que les réactions sont très vives dans le Sud, où l'on crie à « l'ingérence »...

S'agissant d'une question de droit, il appartiendra à la Cour suprême de trancher. En 1842, après un long plaidoyer de John Quincy Adams, ordre sera donné de rapatrier Cinque et les siens en Afrique – comme tête de pont d'une nouvelle communauté chrétienne...

Cinque ne fera qu'un séjour éclair chez les religieux, trop pressé de regagner son village, où, dit-on, il aurait ensuite fait fortune dans le commerce des esclaves...

Naufrage anticipé

Après avoir donné une brillante série de conférences aux États-Unis, I.S.B. Holbourne rentre en Angleterre au printemps 1915. Il voyage sur un paquebot de la célèbre Cunard, le *Lusitania*. Qui se douterait qu'il allait être témoin de l'agonie de ce superbe navire ? Pourtant, son épouse, qui l'attend à la maison, va avoir, d'une certaine manière, la révélation des périls qui le guettent...

Le 7 mai 1915, Mrs. Holbourne s'assoupit un instant dans son fauteuil. Elle fait alors un cauchemar. C'est un gros paquebot, en difficulté dans l'Atlantique. Il prend de la gîte, et l'on se prépare à mettre les chaloupes à la mer. Un vent de panique souffle sur les passagers...

Quant à elle, elle se trouve sur le pont supérieur, tandis que le bateau s'enfonce lentement... Un jeune officier vient la voir. Elle lui demande des nouvelles de son mari. Il répond que le professeur Holbourne a déjà été évacué en canot de sauvetage...

A son réveil, elle en parle à ses proches, mais l'on sourit, et personne ne prend la chose au sérieux.

Les visages se crispent brusquement dans l'après-midi, lorsque l'on apprend que le *Lusitania* a été coulé par un sous-marin allemand, au large de l'Irlande. Il y aurait de nombreux disparus...

Le professeur Holbourne fait heureusement partie des rescapés. Après avoir aidé à embarquer les passagers dans les chaloupes, il a lui-même été évacué. Il se confirmera donc que sa femme a bien visionné la scène en rêve – au point de décrire avec exactitude, en la personne du jeune officier avec elle sur le pont, celui-là même qui a ordonné à son mari de monter à son tour dans le canot de sauvetage...

Brumes roses

L'information paraît, en 1931, dans la revue *Nature*. Pendant tout l'hiver 1917-1918, une station radio d'Alaska est enveloppée d'une sorte de brouillard teinté et chatoyant. Flottant à un mètre du sol, il est si dense que l'on est obligé de marcher courbé, et, plus étrange encore, il semble totalement dépourvu d'humidité...

Ce phénomène, relativement fréquent dans les régions polaires, ne doit pas être confondu avec les aurores boréales, qui se produisent toujours en haute altitude... On aura aussi l'occasion de l'observer beaucoup plus au sud, à Hartford, dans le Connecticut, à moins de 100 kilomètres de New York. La ville disparaît sous une nuée colorée, qui s'éclaire par intermittence, « comme le pinceau d'un phare trouant la brume », raconte un témoin...

Les Surprises de l'orage

La foudre réserve parfois bien des surprises. En 1891, par exemple, elle s'abat sur une maison du comté de Mayo, en Irlande. « Dans la cuisine, note le bulletin trimestriel de la Société royale de météorologie (Royal Meteorological Society), toute la vaisselle est mise sens dessus dessous, même s'il n'y a finalement que très peu de casse. Un encrier est ébréché, sans que pour autant le liquide ne gicle. Mais le plus extraordinaire, c'est que les œufs, posés par terre dans un panier, n'ont que leur coquille brisée – elles s'en iront toutes à la cuisson ; la membrane interne est intacte »...

En 1866, la célèbre revue britannique *Nature* rapporte qu'en Allemagne, au cours d'un orage particulièrement violent, la foudre percera, telle une balle, un petit trou dans un carreau en bas d'une fenêtre. S'engouffrant par l'orifice, une véritable tornade balaie le plafond, qui s'effondre sur un guéridon...

Même chose dernièrement en Écosse, où c'est dans les locaux des services de la Météorologie d'Édimbourg que survient l'incident. Là aussi, après le passage de la foudre, on constate qu'une vitre a été trouée en un point. Selon le magazine *Weather*, on retrouve, intact, un petit disque de verre à l'intérieur de la pièce...

Un OVNI à la mer!

C'est une bien curieuse histoire que le capitaine du *Llandovery Castle* consigne le 1er juillet 1947 dans son livre de bord : celle de sa rencontre avec un OVNI, dans le détroit de Madagascar...

Il est un peu plus de 11 heures du soir, lorsque apparaît une lueur dans le ciel. Les passagers se bousculent sur le pont. Elle se rapproche à vive allure. Arrivée à hauteur du navire, elle ralentit et descend jusqu'au raz des flots. L'océan s'embrase, la lumière est aveuglante. D'un seul coup, elle s'éteint, et l'on distingue nettement les contours de ce mystérieux visiteur venu de l'espace...

C'est un immense cylindre de métal, d'au moins 300 mètres de long sur 50 mètres de large, que certains comparent à un gigantesque cigare, avec un bout coupé. On ne voit pas trace de hublot, mais nul doute qu'il soit guidé par une intelligence, puisqu'il accompagne une minute durant le *Llandovery Castle*. Sans un bruit, il va alors reprendre de l'altitude. Parvenu à 300 mètres environ, il crache soudain des flammes, et il disparaît dans les ténèbres de la nuit...

Monstres bicéphales

On voit parfois, dans les films d'horreur de série B, des individus avec deux têtes. Sur le coup, cela peut prêter à rire. Mais en réalité, l'histoire de ces malheureux est parfaitement tragique...

En mai 1829, il naît un monstre bicéphale – soit un bébé à deux têtes, comme il y a des canards à cinq pattes – à Sassari, en Sardaigne. Est-on en présence d'une seule et même personne, ou bien de deux sœurs siamoises ? On inclinerait pour la seconde hypothèse, car ces deux têtes semblent avoir chacune leur caractère et leur personnalité : elles mangent, dorment ou pleurent tour à tour...

Ritta-Christina – on donne par prudence un nom composé à « la » petite – est issue d'une famille pauvre. Comment nourrir deux bouches supplémentaires ? En monnayant sa – enfin, leur – difformité, pardi ! Nul doute que cela draine une foule de curieux. C'est donc décidé, on va la montrer dans un cirque. Les parents emmènent leur fille tout exprès à Paris. Là, ils devront déchanter, les autorités leur opposeront un veto catégorique, jugeant le projet dégradant. Abandonné à son triste sort, l'enfant va mourir de froid dans la mansarde glaciale où elle loge avec ses parents...

Hélas, on verra pire. En Amérique, cette fois. Un nourrisson de l'Indiana (du comté de Tipton, exactement), qui tenait sans doute absolument à se distinguer, va faire sensation à la maternité, avec ses deux têtes et ses quatre jambes... Il vivra jusqu'en 1931, et il décédera à Buffalo, dans une chambre d'hôtel...

OVNI à Hawaï

Voilà maintenant une quarantaine d'années que les OVNIS défraient régulièrement la chronique. En règle générale, ils se manifestent surtout dans l'hémisphère nord au printemps, et le reste de l'année dans l'hémisphère sud.

Ils s'intéresseront tout d'abord à nos premières expériences nucléaires et spatiales. Lors d'un essai en vol du célèbre avion-fusée X-15, au début des années soixante, le pilote, Joe Walker, photographie ainsi d'étranges engins qui le suivent à une vitesse hypersonique dans la haute atmosphère...

Si d'ordinaire les OVNIS ne se laissent voir qu'à une ou deux personnes à la fois, il leur arrive aussi à l'occasion de se montrer devant des centaines, voire des milliers, de gens, comme à Hawaï, en 1987, où un disque lumineux survole l'archipel pendant un quart d'heure, laissant dans son sillage une traînée blanchâtre...

Deux pilotes des garde-côtes l'aperçoivent également, et ils font la même observation concernant la traînée de condensation zébrant le ciel. Dans un communiqué, la très officielle Agence fédérale pour l'aviation (Federal Aviation Authority) enregistre le passage au-dessus d'Hawaï d'un Objet Volant Non Identifié – sans autre précision.

Force est de constater que, quarante ans après leurs premières apparitions, les OVNIS conservent tout leur mystère...

Suicide rêvé

Bertha Jones, une exploitante agricole de l'Indiana, a coutume de faire la sieste l'après-midi. Mais un jour, le 10 juillet 1951 exactement, un horrible cauchemar la tire de son sommeil...

La scène se passe sur un pont, dans une ville indéterminée. Une femme entre deux âges et vêtue de noir, dont le visage lui est totalement inconnu, s'approche : « Je suis venue exprès à Abilene pour en finir », dit-elle. Moyennant quoi, sous les yeux horrifiés de notre amie, elle enjambe le parapet et elle se précipite dans le vide...

Bertha sera profondément affectée par la tragédie. Quelque chose lui dit que ce n'est pas seulement un rêve... Pour en avoir le cœur net, elle décide de prendre contact avec les autorités d'Abilene...

Il existe deux villes de ce nom aux États-Unis, l'une au Kansas, l'autre au Texas. Bertha Jones écrit à chaque fois au commissariat central...

Si l'on ne signale aucun incident de ce genre à Abilene-Kansas, il se confirme, par contre, qu'une femme s'est bien donné la mort ce jour-là à Abilene-Texas, en sautant d'un pont...

On ne saura jamais de qui il s'agissait. Elle est descendue sous un faux nom à l'hôtel Wooten, et on ne trouve rien sur elle permettant de l'identifier. Quant à Bertha Jones, elle ne s'explique pas comment elle a pu « voir » en rêve une inconnue se jeter du haut d'un pont, à plus de 1 500 kilomètres de là...

Les Petits Hommes noirs

Le 28 novembre 1954, en pleine nuit, deux routiers complètement affolés font irruption dans un commissariat de Caracas, au Venezuela. Leur histoire semble d'abord tellement tirée par les cheveux qu'on les croit ivres. L'alcootest se révélera pourtant négatif, et les médecins confirmeront qu'ils se trouvent en état de choc, après avoir subi une violente frayeur... Qu'est-ce qui a bien pu les mettre dans cet état-là ?

Dans leur déposition, Gustavo Gonzalves et Jose Ponce expliquent qu'ils ont quitté Caracas en camion vers 2 heures du matin, pour aller à Petare, une localité voisine. A mi-parcours, ils aperçoivent un énorme objet circulaire et brillant en travers de la route...

L'engin a l'air de flotter à 1,50 mètre du sol. Les deux hommes se garent sur le bas-côté, puis ils vont voir.

En arrivant à proximité de la chose, ils tombent sur une petite créature de forme humaine, à la peau sombre et couverte de poils, vêtue d'une sorte de pagne... Gustavo Gonzalves l'attrape, et il constate qu'elle pèse au plus une quinzaine de kilos...

L'instant d'après, il se retrouve projeté à près de 10 mètres de là. Son compagnon détale sans demander son reste. En se retournant, il a juste le temps d'apercevoir deux autres humanoïdes embarquant dans le vaisseau des échantillons de la flore...

Sceptique, au début, la police prendra ensuite l'affaire très au sérieux lorsqu'un médecin qui les a examinés confesse, les jours suivants, avoir lui-même assisté à la scène. Appelé au chevet d'un malade, il rentrait alors chez lui, quand il a vu un OVNI en travers de la route, et deux hommes qui se portaient au-devant d'un extraterrestre, petit, noir et velu...

Lumières dans le désert

Le 18 avril 1962, un objet rouge, fonçant plein ouest, passe au-dessus de la localité d'Oneida, dans l'État de New York. S'il est bien visible sur les écrans radars, on ne parvient cependant pas à l'identifier. Comme il poursuit sa route à l'intérieur du pays, l'armée de l'air reçoit l'ordre de l'intercepter. On fait décoller des chasseurs...

La chose, ou l'engin, échappera à ses poursuivants. On va en effet perdre brusquement sa trace, à une centaine de kilomètres de Las Vegas, dans le Nevada, soit à plus de 3 000 kilomètres à l'intérieur des terres... D'après le *Las Vegas Sun*, qui a suivi toute l'affaire, l'OVNI aurait explosé en vol quelque part au-dessus du désert du Nevada. Hypothèse d'autant plus plausible que l'on signale, cette nuit-là, une immense déflagration dans la montagne, accompagnée d'un éclair fulgurant qui balaie la ville de Reno. Sur le coup, on croira à une explosion atomique (pendant vingt ans, on a testé les engins nucléaires en plein air, dans le désert du Nevada). Mais les officiels de la Commission à l'énergie atomique (Atomic Energy Commission) démentiront formellement que l'on ait procédé ce soir-là à aucun essai nucléaire...

On est tenté de faire le lien avec un autre incident survenu lui aussi dans le Nevada, quelques heures plus tard. Une dépêche de l'agence United Press signale l'atterrissage mouvementé d'un OVNI près d'une centrale électrique d'Eureka. Sous couvert de l'anonymat, un officier supérieur de la base aérienne de Stead confirmera la nouvelle aux journalistes du *Las Vegas*

Sun, précisant qu'en touchant le sol, l'engin s'est désintégré, ce qui a déclenché une panne générale dans la centrale...

Bizarrement, ces deux accidents d'OVNIS seront passés sous silence dans les médias. A part le *Las Vegas Sun* et deux ou trois publications locales, personne ne parlera de ces soucoupes volantes qui se sont manifestement écrasées dans le Nevada...

La Bible et ses trésors

Les études bibliques ne sont pas l'apanage des docteurs du clergé. Archéologues et géologues peuvent aussi à l'occasion tirer profit d'une lecture attentive des Saintes Écritures...

Sans en avoir la preuve formelle, Nelson Glueck, recteur d'une université de l'Ohio, Hebrew Union College, était convaincu qu'il existait des mines de cuivre au pays du Roi Salomon, et que les juifs exportaient leur métal, notamment en Perse. A l'appui de sa thèse, une citation du Deutéronome : « ... car... de cette colline, on extrait le cuivre »... Restait à retrouver ces fameux gisements...

Suite à la découverte d'un ancien port de commerce datant du Roi Salomon, il fait procéder à des relevés aériens, et ratisser le secteur à la recherche des points d'eau désaffectés. En rassemblant toutes les pièces du puzzle, il retrouvera les fameuses mines de cuivre du Roi Salomon, dans la région de Wadi el Arabah. Certaines d'entre elles seront d'ailleurs remises en exploitation.

Toujours grâce à la Bible, un professeur de sciences naturelles à l'Université de Pennsylvanie, James Pritchard, découvrira quant à lui la fontaine de Gédéon, dont il est fait mention dans le texte sacré, à une dizaine de kilomètres au nord de Jérusalem. Elle ne survivra pas au passage de Nabuchodonosor, roi de Babylone, qui envahit la terre d'Israël en l'an 587 avant J.-C. Noyée sous un tas de détritus, elle s'assèchera, et on l'oubliera. Suivant à la lettre les indications fournies par l'Anciens Testament,

James Pritchard réussira donc le miracle de faire à nouveau jaillir l'eau vive en cet endroit du désert...

Les Morts ont la bougeotte

Située dans la mer Baltique, la petite île d'Œsel ne comporte qu'une agglomération. Celle-ci n'en abrite pas moins une multitude de chapelles funéraires, appartenant à des familles aisées. Lorsque survient un décès, il est d'usage, là-bas, d'y laisser pour un temps le cercueil du défunt, avant de le placer dans le caveau proprement dit.

Mais « quelque chose » s'acharnera manifestement à troubler le repos des morts de la famille Buxhoewden. Tout commence en juin 1844. Mrs. Buxhoewden se rend un jour sur la tombe de sa mère. Elle attache son cheval devant la stèle. L'animal va bientôt faire un tel raffut qu'il faudra appeler le vétérinaire pour le calmer avec une piqûre. La même mésaventure arrivera à plusieurs personnes qui s'arrêtent à cet endroit-là. Leurs chevaux tombent comme fous... Qu'est-ce qui peut bien les mettre dans cet état-là ?

On fait tout de suite le lien avec le tombeau des Buxhoewden. Pour couper court aux rumeurs, ces gens font ouvrir le caveau de famille. Stupeur ! Les cercueils, jadis posés côte à côte, sont maintenant empilés au centre de la crypte !

On les remet en place, et par mesure de précaution on scelle la porte. Peine perdue. Une dizaine de chevaux seront pris de panique quand on les laissera dans les parages, et deux d'entre eux vont même tomber raides...

Une fois de plus, on ouvre le caveau, et ce coup-ci les cercueils sont sens dessus dessous...

L'Église finit par s'émouvoir, et elle dépêche sur les

lieux un observateur, en la personne du baron de Guldenstubbe, lequel, lorsque l'on ouvre la tombe devant lui, est bien obligé de constater qu'« on » y a derechef semé la pagaille...

Avant tout, il s'agit de savoir par où passe ce mauvais plaisant. Par un tunnel souterrain ? On creuse tout autour de la chapelle, sans rien trouver. Précaution supplémentaire, on épand de la cendre sur le sol, et l'on fait garder la porte par deux hommes armés...

Incroyable mais vrai, lorsqu'une délégation d'ecclésiastiques effectue quelque temps après une visite de contrôle, les cercueils ont une fois de plus été bousculés – l'un d'eux est même debout ! Les gardes n'ont rien remarqué de suspect, et on ne relève aucune trace de pas...

Excédés, les Buxhoewden iront faire enterrer ailleurs leurs défunts, dans l'espoir que, cette fois, « on » les laissera tranquilles...

Mais qui donc a bien pu leur jouer cette farce macabre ?

Un réveil douloureux

Jamais ça ne lui arrivait. Un jour, pourtant, Winnie Wilkinson, de Sheffield, s'assoupit en milieu d'après-midi. C'est alors qu'elle fait un terrible cauchemar...

Dans son rêve, expliquera-t-elle plus tard, on tambourine à sa porte. Une femme qu'elle ne connaît pas lui annonce, tout affolée, que son mari, dont elle est séparée, vient de se blesser gravement en tombant d'un échafaudage...

Bien qu'à la veille de divorcer, elle téléphone aussitôt à l'employeur de Gordon – il est alors 3 h 12...

Elle est soulagée d'apprendre qu'il ne lui est rien arrivé. Le lendemain, hélas, à 3 h 12 exactement, Gordon Wilkinson se tue en glissant de son échafaudage...

Policier somnambule, ou assassin innocent ?

En vacances au Havre, un inspecteur de police parisien est repris par le démon du métier, et il décide pour s'amuser de donner un coup de main à ses collègues qui enquêtent sur le meurtre d'un certain André Monet. L'affaire est obscure. Patron d'une petite entreprise, celui-ci menait une vie tranquille, et on ne lui connaissait pas d'ennemis. Le mobile du crime est on ne peut plus mystérieux. On ne dispose que de deux indices : une balle de pistolet Lüger, d'un modèle très répandu – notre policier au repos, Robert Ledru, en possède lui-même un –, et des empreintes de pieds nus sur le sable...

Robert Ledru éprouve déjà un premier choc en voyant que le meurtrier, tout comme lui, a un orteil en moins au pied droit. Il fait faire un moulage, puis effectuer une analyse balistique des balles tirées par son arme de service, et il envoie le tout à ses supérieurs de Paris...

L'incroyable vérité éclate : c'est Robert Ledru lui-même qui a, dans un accès de somnambulisme, tiré sur Robert Monet, lequel était sorti faire un tour sur la plage au clair de lune ! D'ailleurs, le matin, il avait trouvé ses chaussettes toutes humides...

Les Rois du calendrier

Les « prodiges idiots » sont des débiles mentaux, capables néanmoins d'accomplir certaines prouesses intellectuelles. Puisant là un motif de fierté, ils cultiveraient, dit-on, leurs talents singuliers, pour en faire régulièrement la démonstration...

Mais les imbéciles surdoués ne sont pas toujours obligés de s'entraîner pour épater la galerie ; la plupart du temps, ils font ça naturellement, sans se forcer. Prenons ainsi le cas de ces jumeaux, Charles et George, dont l'histoire nous est contée dans la *Revue américaine de psychiatrie* (American Psychiatry Journal). Jamais ils n'eurent besoin de consulter un calendrier. Ils pouvaient se reporter instantanément dans le passé comme dans l'avenir, et dire de quel jour de la semaine il s'agissait ou s'agira, et même, dans le premier cas, le temps qu'il faisait alors ! George, surtout. A la différence de son frère, qui ne remontait guère au-delà de cent ans, il pouvait dater en une fraction de seconde n'importe quelle journée, et déclarer, par exemple, que le 15 février 2002 tombera un vendredi, ou que le 28 mars 1591 était un mercredi, et qu'il pleuvait... Mieux, alors qu'il ignorait tout de l'adoption du calendrier grégorien au Moyen Age, pour remplacer le calendrier julien (ce qui entraîne une différence de dix jours), il effectuait de lui-même la correction, lorsque besoin était. La performance est d'autant plus remarquable qu'il ne savait même pas faire une addition...

Sans faire, par conséquent, le moindre effort de mémoire, ni se cantonner aux quatre derniers siècles régis par le système du calendrier perpétuel (procédé de datation automatique, en fonction des caractéristiques propres à chaque année), il balayait, le plus naturellement du monde, un éventail de sept mille ans...

Il va de soi que les motivations, si puissantes soient-elles, ne suffisent pas à rendre compte de la prouesse...

Le Vaisseau fantôme

Immortalisée par l'opéra de Richard Wagner, la légende du vaisseau fantôme nourrit quantité d'histoires de marins. Un capitaine, qui a blasphémé, est condamné par Dieu à errer jusqu'à la fin des temps sur un voilier désert...

On l'aperçoit en général quand il y a de la brume ou de la tempête, et c'est toujours un funeste présage – même s'il semble y avoir plusieurs navires abandonnés qui dérivent ainsi sur les océans...

Un bâtiment de la Royal Navy, l'*Insconstant*, fera, à ce sujet, une étrange rencontre le 11 juillet 1861, au milieu du Pacifique. A 4 heures du matin, un « vaisseau fantôme » coupe sa route. Enveloppé d'une lueur phosphorescente, un voilier à deux mâts passe à environ 200 mètres à bâbord. L'officier de quart, présent sur la passerelle, est le premier à le voir, suivi d'un jeune aspirant, qui se trouve alors sur la plage arrière. Il se rend sur le gaillard pour mieux voir, mais le brick et la lumière disparaissent comme par enchantement...

Silence impératif

Les services de renseignement jouent un rôle clé dans la guerre moderne. Par définition, leurs succès demeurent secrets jusqu'à la fin du conflit. Cela ne va pas sans poser, parfois, de douloureux cas de conscience aux dirigeants, ni engendrer, tout d'abord, de véritables tragédies...

Churchill sera confronté à un dilemme de ce genre, quand on l'avertit de l'imminence d'un bombardement sur la petite ville de Coventry. Depuis longtemps déjà, les Anglais ont percé le chiffre utilisé par l'ennemi. Afin de préserver cet atout capital, qui permet d'intercepter les communications du haut état-major allemand, Churchill va délibérément sacrifier Coventry. Une riposte massive de la Royal Air Force n'aurait pas manqué d'éveiller les soupçons de l'ennemi, qui aurait alors sans doute adopté un autre code. Sur les ordres exprès du Premier ministre, on n'oppose qu'une résistance symbolique à la Luftwaffe, qui « jouant de l'effet de surprise » va raser l'agglomération... Mais par la suite, notamment pendant la campagne de Libye, les troupes britanniques tireront le plus grand profit de leur familiarité avec le code « Énigme », qui leur permet de connaître les intentions de l'adversaire...

De leur côté, les Américains « cassent » le code « Pourpre », utilisé par les Japonais, avant même l'ouverture des hostilités. Ils se garderont bien de le crier sur les toits. Cela va leur permettre, par contre, d'abattre, au-dessus des îles Salomon, l'avion transportant l'amiral Yamamoto, commandant en chef de la flotte impériale. Là encore, toute l'opération restera secrète, de manière à ne pas éveiller les soupçons de l'ennemi. Les services américains deviendront même si efficaces qu'ils seront souvent les premiers à déchiffrer les communications des Japonais...

Le Chaînon manquant

Fuyant les sarcasmes et les quolibets des gens de son village, un jeune Russe, Adrien, se retire dans les bois. Il va vivre des années dans une grotte, coupé du monde, hormis la présence à ses côtés de sa compagne, qui lui donnera trois enfants, dont deux, une petite fille qui mourra en bas âge et un fils qui l'accompagnera par la suite, hériteront des mêmes caractéristiques...

C'est qu'Adrien ne ressemble pas à Monsieur Tout-le-Monde. Si l'on en croit la revue *American Scientific*, c'est un véritable homme-singe. De fait, lorsqu'on le présente à un congrès de médecine à Berlin – il a alors plus de cinquante ans –, on constate qu'il est couvert de poils de la tête aux pieds...

A noter, cependant, qu'il n'est pas le seul représentant connu du fameux « chaînon manquant » dans l'évolution humaine, celui qui fait le lien entre le singe et l'homme proprement dit. Au Mexique aussi, une certaine Julia Pastrana, velue comme un ours en peluche, sera en butte aux pires humiliations tout au long de sa vie. Elle mourra, nous dit le magazine *Science*, en accouchant d'un petit garçon, lui-même tout poilu...

En dépit de leur apparence physique, ces malheureux ne sont pas forcément retardés intellectuellement. La petite Kra-o, découverte à Bornéo à l'âge de six ans, a certes le corps tapissé d'une toison épaisse et rugueuse, qui lui fait dans le dos une véritable crinière. De plus, avec son nez épaté, ses pommettes saillantes et ses grosses bajoues, elle a tout l'air d'une guenon. Pourtant, lit-on dans un autre numéro d'*American Scientific*, elle apprendra à parler comme n'importe quel autre enfant...

Les scienfiques attribuent cette pilosité excessive au Lugano, un mécanisme biologique commun à de nombreux mammifères, mais qui a – en principe – disparu chez l'homme. Autrement dit, il semble que nous ayons conservé certains gènes de nos ancêtres, qui, parfois, ressortent...

Cadavre hirsute

Les employés des pompes funèbres avaient pourtant bien rasé, lavé et habillé le défunt avant l'enterrement. Imaginez alors la tête du médecin et des croquemorts qui l'exhument deux ans plus tard, en voyant des touffes de poils s'échapper du cercueil entrouvert. On découvre en effet, explique la revue *English Mechanic*, qui consacre un article à cette curieuse histoire intervenue aux États-Unis, dans l'Iowa, un cadavre hirsute, avec des cheveux tombant à la ceinture, une barbe de 10 centimètres et un épais duvet sur tout le corps...

Déjà en 1847, en creusant une fosse dans un cimetière, on tombe sur le squelette d'un homme mort dix ans plus tôt. Sur ses os décharnés flotte une tignasse de 40 centimètres...

En un si long sommeil...

Le 21 mai 1883, une jeune fille, Marguerite Boyenval, tombe de frayeur en état de catalepsie, lorsque la police débarque chez elle. Les bras en croix, raide comme un cadavre, elle gît, inerte...

Plongée dans un coma profond, il lui arrive parfois de percevoir quelques lueurs et d'entendre ce qui se dit autour d'elle. Un jour, par exemple (cinq mois après son attaque), comme on est en train de l'examiner, elle ouvre subitement les yeux et dit : « Aïe ! Vous me pincez ! »

On la soigne et on l'alimente au mieux. Malgré tout, son état général décline. Atteinte de tuberculose, elle s'éteint à petit feu, et elle meurt en 1903, après avoir dormi vingt ans d'affilée...

Éruptions solaires et crises économiques

A force d'entendre l'un de ses collègues, William Stanley Jevons, répéter qu'il devait certainement y avoir un lien entre les crises économiques, apparemment cycliques, et le retour de certaines configurations célestes, l'illustre économiste anglais John Maynard Keynes mène sa petite enquête. Dressant l'inventaire des crises économiques survenues depuis le XVIIIe siècle, il constate alors qu'elles recoupent, à quelque chose près, le cycle des éruptions solaires, les premières se produisant en moyenne tous les dix ou onze ans, et les autres au bout de dix ans et neuf mois...

Qu'est-ce à dire ? « Les perturbations météorologiques occasionnées par les éruptions solaires affectent d'abord l'agriculture, et par contrecoup l'ensemble de l'économie », conclut-il.

Personne, pourtant, n'a encore à ce jour formellement prouvé qu'il existe un lien quelconque entre les taches solaires et les crises économiques...

Neuf Tonnes de verre, et trois mille ans

Il faudra attendre, dit-on, le milieu du xxe siècle pour que l'on fabrique une énorme plaque de verre, en l'occurrence la lentille de 7 mètres de diamètre du télescope géant de l'observatoire du mont Palomar... Et pourtant, des milliers d'années plus tôt, au Beth She'arim, un centre d'études du sud-ouest de la Galilée, on a coulé un bloc de verre presque deux fois plus gros, et pesant 9 tonnes...

On tombera dessus par hasard, en dégageant un ancien réservoir à eau pour le transformer en musée archéologique. Un bulldozer bute sur quelque chose de dur et de volumineux : une dalle en verre massif, de 3,40 mètres de long sur 1,95 mètre de large. En raison de son poids, on la laissera sur place, et elle trône désormais au milieu du musée...

Au fil des siècles, le verre, constellé de petits cristaux, s'est terni, mais on distingue quand même des nervures mauves à une extrémité...

De l'avis des chercheurs, il ne s'agit ni d'un accident de la nature, ni du résidu d'une activité métallurgique quelconque, mais bien d'un objet fabriqué délibérément par l'homme...

Dans quel but ? Et par quels moyens ? On l'ignore...

Les Sphères du Costa Rica

Dans les années 30, au Costa Rica, des ouvriers agricoles qui défrichent un coin de jungle pour y planter ensuite des bananiers tombent par hasard sur une énorme pierre ronde et lisse, d'environ 2 mètres de diamètre...

Ils vont en trouver toute une foule, sous les ronces et les broussailles, certaines de dimensions modestes et faciles à soulever, d'autres faisant au contraire jusqu'à 2,5 mètres de large, et pesant plus de 16 tonnes... *A priori*, ces grosses boules polies ont l'air parfaites, et ce n'est qu'après coup que l'on parvient à déterminer qu'elles ne sont pas rigoureusement sphériques...

En granit pour la plupart, mais aussi parfois en calcaire, elles sont généralement par groupes de trois (même si on en a trouvé jusqu'à quarante-cinq au même endroit), disposées tantôt en cercle, tantôt en triangle, quand elles ne sont pas alignées suivant un axe nord-sud – ce qui tendrait à indiquer qu'elles servaient, en des temps reculés, à déterminer la position des corps célestes...

Les Chats et les rayons X

Les chats sont-ils sensibles aux rayons X ? Telle est la question étrange, et néanmoins fort sérieuse, que se posent un jour des biologistes californiens de Los Angeles. On irradie alors pendant cinq secondes plusieurs cobayes, et l'on obtient les résultats les plus probants quand on dirige le faisceau sur le bulbe olfactif, situé à l'arrière du museau. D'emblée, on peut exclure que le chat réagisse à l'ozone dégagé par les rayons X, car l'animal demeure passif si l'on se concentre sur le museau proprement dit...

Cela ne prouve pas pour autant que ce soient les centres olfactifs du chat qui perçoivent ce rayonnement, car même après ablation l'animal détecte toujours quelque chose, surtout si l'on augmente la dose...

Gageons que c'est l'organisme du chat dans son ensemble qui détecte ces fameux rayons X, par un mécanisme qui nous est encore inconnu...

Le Cimetière des baleines

Dans la soirée du 19 août 1971, trois baleines s'échouent sur une plage de Floride, non loin de Saratosa. On en trouve ensuite six autres un peu plus loin. A chaque fois, il faut carrément les repousser à l'eau, et attendre qu'elles regagnent le troupeau au large. Mais voilà que le phénomène se reproduit quelques jours plus tard, et que l'on voit même un groupe entier de cétacés suivre un baleineau capturé par un dresseur...

Comment expliquer ce comportement aberrant et suicidaire ? On suppose que les baleines sont désorientées par des parasites logés dans l'oreille interne, et qu'elles atterrissent sans le vouloir sur le sable...

Et s'il s'agissait d'une réaction atavique, de la part d'animaux vivant jadis sur terre, et qui viennent spontanément se réfugier sur la côte quand ils sont malades, blessés ou menacés ? F.G. Wood, qui connaît bien ces gros mammifères, n'hésite pas à franchir le pas, mais rien n'oblige à le suivre, et ses détracteurs ne manquent pas de souligner que ce réflexe, jadis salutaire mais aujourd'hui funeste, aurait normalement dû disparaître au cours de l'évolution...

Souris musicales

Pendant longtemps, Philip Ryall croira que ce sont des oiseaux qui le réveillent la nuit en chantant dans la cheminée. Mais voilà qu'un soir il aperçoit une petite souris dans une fente : assise sur son train arrière, elle regarde autour d'elle dans la pièce, en gazouillant aimablement...

Elle va revenir tous les jours – tant et si bien que Philip Ryall finira par la capturer, puis par la remettre à Sam Lockwood, qui lui consacrera un article dans le magazine *People Science Monthly*. Baptisée Hepsy, la petite souris femelle fera la joie de la maisonnée, en roucoulant comme un oiseau dans sa cage...

La revue *Zoologist* cite un cas analogue. De l'avis du biologiste John Farr, c'est vraisemblablement avec ses dents que l'animal émet ce bruit mélodieux... Mais à y regarder de plus près, on voit la gorge du rongeur se soulever – ce qui tendrait à prouver que le son vient au contraire du larynx.

Mais alors, comment la bestiole fait-elle pour chanter en mangeant ? D'autant qu'elle ne chante pas seulement quand elle est contente, mais aussi quand elle a peur et qu'elle se sauve...

Intrigués par ce mystère, des gens vont élever des souris, et faire des croisements entre espèces, dans l'espoir d'obtenir de telles « souris chantantes ». Les résultats ne seront guère probants. Un homme du Maryland en élèvera des centaines avant d'en trouver une qui, par miracle, consente à chanter...

Pommettes saillantes

Lors d'un séjour en Afrique, dans les années 1870, le capitaine J.S. Hay verra des hommes atteints d'une singulière malformation : ils ont les pommettes si saillantes qu'elles ressemblent à des cornes, de chaque côté du nez...

Pour autant qu'on lui ait dit, il ne s'agit là ni d'une maladie, ni d'une mutilation rituelle, mais d'un trait congénital, qui apparaît durant l'enfance. Ces malheureux, d'ailleurs, sont les premiers à en souffrir, et l'on fait tout pour empêcher ces vilaines protubérances de défigurer les petits garçons...

La Lune en direct

Au siècle dernier, le *New York Sun* se rendra, à son insu, complice d'un énorme canular, demeuré célèbre dans les annales de la presse. En 1835, ce journal populaire présente à ses lecteurs un tableau détaillé, mais hélas purement imaginaire, de la vie sur la lune, dans une série d'articles intitulée : « Les sensationnelles découvertes de Sir John Herschel ».

Le seul nom de l'astronome, alors au sommet de sa gloire, vaut toutes les cautions scientifiques ; le succès est immédiat, et les ventes sont multipliées par six. Partout, on s'arrache le *New York Sun*, à tel point que le quotidien réédite les articles en question dans un cahier spécial, lui-même vite épuisé... Le très sérieux *New York Times* n'est pas en reste, qui y voit, selon ses propres termes, « un résumé exhaustif de toutes nos connaissances en matière d'astronomie ». Songez : installé au cap de Bonne-Espérance, en Afrique du Sud, un télescope géant, ultra-perfectionné et doté d'un formidable pouvoir grossissant, permettrait désormais d'observer la lune, pratiquement comme si on y était ! S'appuyant sur les déclarations de Sir John Herschel, l'auteur des articles, Richard Locke, nous explique que là-bas vivent des licornes bleues ressemblant à des chèvres, ainsi que des espèces d'ours et de drôles de bisons, et que des vols de grues traversent un ciel orange, au-dessus de montagnes violettes, trouées de lacs immenses... Notre satellite abrite aussi de petits humanoïdes ailés, à tête de singe...

Comme il faut, à l'époque, entre cinq et dix jours pour traverser l'Atlantique, Sir John Herschel n'apprend la nouvelle qu'après coup. Au bout d'une semaine, Richard Locke avoue en effet, dans le *Journal of Commerce*, avoir monté toute l'affaire. L'astronome aura suffisamment d'humour pour en rire, et il félicitera même le journaliste pour son imagination. Dans le public, par contre, c'est la consternation...

Plus qu'une coïncidence

Qu'il se produise de temps à autre des coïncidences, c'est dans l'ordre des choses. On peut même en calculer la fréquence statistique. Mais il en est parfois de si troublantes que l'on en vient à se demander s'il s'agit vraiment d'un hasard...

Chargé de paquets, Thomas Baker regagne sa voiture, garée sur le parking du centre commercial de Northgate. Il monte dans la petite Concord marron, pose ses sacs, puis il s'installe au volant. Bizarre, le siège est trop près ; et puis il est tout abîmé ! Et ce carton, et ces gobelets, sur la banquette arrière ?... Ce n'est pas sa voiture ! Quelqu'un a dû faire la même erreur que lui et partir avec son auto, en lui laissant celle-ci à la place !...

Il va voir la police. L'agent de service est bien ennuyé. Il se gratte la tête. Thomas Baker s'impatiente. Un véhicule se gare devant le commissariat. Deux portières claquent. Machinalement, Thomas Baker jette un œil à la fenêtre, et que voit-il ? Un couple de retraités, qui s'extraient péniblement de « sa » voiture, lui, rouge et penaud, elle, accrochée dignement à son sac à main !... Ce n'est qu'au bout de dix minutes, expliquent-ils, qu'ils se sont aperçus de leur méprise...

Selon le porte-parole officiel d'American Motors, qui construit les Concord, il y a à peu près une chance sur mille d'ouvrir deux voitures de la marque avec la même clé. « Mais, ajoute-t-il, s'il s'agit de deux véhicules du même modèle, garés ensemble au même endroit, la probabilité n'est plus que de une sur dix mille... »

Fin posthume

Charles Dickens est mort en 1870 sans avoir eu le temps de terminer *The Mystery of Edwin Brood* (Le Mystère d'Edwin Brood). L'ouvrage est donc inachevé. Du moins est-ce l'opinion communément établie. Car le bruit court que l'auteur se serait servi d'une tierce personne pour le boucler après sa mort. Un jeune médium du Vermont, nommé T.P. James, ne prétendra-t-il pas, en 1873, avoir rédigé sous sa dictée, ou plutôt sous celle de son fantôme, les dernières pages du roman ?...

Deux parapsychologues, Jerry Solvin et Jo Coffey, travaillant dans le cadre de l'université John-Fitzgerald-Kennedy d'Oneida, passent à l'heure actuelle le texte au crible sur ordinateur, à la seule fin de déterminer si Charles Dickens en est bel et bien l'auteur...

Jerry Solvin reconnaît lui-même que l'on ne pourra jamais prouver avec certitude que c'est bien le fantôme de Charles Dickens qui a composé la fin du roman. « Ce n'est d'ailleurs pas notre intention », déclare-t-il. « Nous voulons seulement montrer que l'informatique permet une évaluation plus fine de ces textes ou messages posthumes transmis par personnes interposées », conclut-il.

Prodige idiot

Reuben Field, qui vécut en Amérique au siècle dernier, était un grand diable souriant, mais hélas, aussi, un débile mental. Considéré comme l'idiot du village, il ne savait bien entendu ni lire ni écrire. Pourtant, il avait le chic pour effectuer, en un temps record, les opérations arithmétiques les plus complexes.

On lui pose un jour, par exemple, le problème suivant : à supposer que l'on fasse le tour de la terre, dont la circonférence est de 40 000 kilomètres, en déposant tous les 2 centimètres et demi un grain de lin, combien en aura-t-on semés en tout à l'arrivée ? 19 milliards et 8 millions, répond-il instantanément. De même, suffit-il de lui indiquer l'année et la position exacte du jour dans le mois pour qu'il en calcule la date précise. N.T. Allison note aussi, dans la revue *American Scientific*, que c'est une véritable horloge parlante, et qu'il peut à chaque instant donner l'heure juste. « Quelle heure est-il ? – 3 h 5 », répond l'idiot. N.T. Allison bavarde avec lui un moment, puis il revient à la charge. « Et maintenant, quelle heure est-il ? – 3 h 33 », réplique, imperturbable, Reuben Field...

L'Arche de Noé

Parmi toutes ces légendes communes aux vieilles civilisations, et qui font partie du patrimoine de l'humanité, figure au premier rang celle du Déluge, et d'une grande arche, où auraient pris place une petite colonie d'êtres humains, accompagnés de représentants de chaque espèce animale.

On la retrouve partout, sous une forme ou une autre. Pour les juifs, les chrétiens et les musulmans, les textes sont formels, c'est sur le mont Ararat, situé dans le nord-est de la Turquie, que le vaisseau providentiel est venu s'échouer...

Cela mérite une explication. Le mot « Ararat » vient de l'assyrien « Uhartu », terme désignant l'Arménie en général. La Bible, d'ailleurs, parle au pluriel des « monts de l'Ararat », sans autre précision. On ignore donc sur quel sommet exact l'arche de Noé a accosté...

Le bruit court avec insistance qu'elle repose sous la glace; des alpinistes en garderaient des morceaux comme reliques; on l'aurait survolée à plusieurs reprises lors de la Première, puis de la Seconde Guerre mondiale; sur une photo-satellite, datant de 1974, on verrait une grande crevasse, abritant un corps « manifestement étranger à la montagne », au dire de certains esprits enthousiastes. Tout cela n'en reste pas moins très spéculatif...

Horripilant

En 1940, lors d'un congrès de l'Association américaine de psychologie (American Psychology Association), un chercheur présente un homme qui peut à volonté faire se dresser les poils sur son bras droit, et cela depuis l'âge de dix ans... Chez lui, cela n'a rien à voir avec un réflexe de peur. Non, il fait ça tout naturellement; ses poils se hérissent sur commande. Ça lui est aussi aisé, dit-il, que de bouger un muscle...

Voire. Car pendant toute la démonstration ce monsieur a les pupilles dilatées, son pouls s'emballe, sa respiration s'accélère – jusqu'à son cerveau qui, a-t-on prouvé, émet des ondes différentes. Bref, selon toute évidence, il est en proie à une violente frayeur, alors même qu'il se dit parfaitement serein...

Monstres du Continent noir

Là-bas, on l'appelle le « *Kuodumodumo* », soit le « monstre des fourrés à la gueule béante ». La nuit, il s'introduit en catimini dans les fermes, en passant par-dessus des clôtures de près de 2 mètres de haut, pour aller voler veaux, chèvres et moutons. Circulaires, avec deux ongles de 5 centimètres, ses traces ne ressemblent à celles d'aucun animal connu.

S'agirait-il, comme l'affirment certains, d'un mutant de hyène ? Non, répondent leurs détracteurs, qui soulignent que les hyènes traînent d'habitude leurs proies sur le sol, et qu'on n'en a encore jamais vu sauter des enclos en tenant un veau dans leur gueule. La hyène, en outre, gronde avant d'attaquer, et elle glapit ensuite. Pour la même raison, on doute qu'il s'agisse d'un lion ou d'une panthère.

Le *Kuodumodumo* n'est d'ailleurs pas le seul animal mystérieux qui hante le Continent noir. Tous les chasseurs de fauves ont entendu parler du *Ndalawo,* un mangeur d'hommes signalé en Ouganda, qui hurle comme un loup, ou bien du *Mbilintu*, congolais, issu d'un croisement entre l'éléphant et l'hippopotame, ou encore du *Mngwa*, qui vit dans les palmeraies en bordure des côtes.

N'oublions pas non plus les monstres aquatiques, tels le *Lau* et le *Lukwata*, des serpents géants qui hantent lacs et marais. Mesurant plusieurs dizaines de mètres, et aussi gros qu'un âne, on les entend gronder la nuit, quand ils partent en chasse. S'il n'en a personnellement jamais vu, E. Wayland, directeur de l'Institut géologique de l'Ouganda, a néanmoins perçu à plusieurs reprises leurs rugissements nocturnes, et on lui a montré un os qui pourrait bien venir d'un *Lukwata*.

La liste ne serait pas complète sans l'*Agogwe*, une espèce d'homme-singe, mesurant tout juste 1,20 mètre de haut. Si l'on laisse à boire du *Ntulu* (la bière locale) et à manger, la légende veut qu'en retour il sarcle et nettoie le jardin...

S'il est probable que certains de ces animaux sont purement imaginaires, il se pourrait également qu'il demeure des bêtes inconnues en Afrique. Après tout, on a longtemps douté de l'existence du panda ou de l'ornithorynque...

Qui l'a pondu ?

Un fermier australien, dans les années 30, fait sensation en annonçant la découverte d'un œuf de la taille d'un ballon de football. Les milieux scientifiques sont sceptiques, mais il faut se rendre à l'évidence : c'est bien un œuf d'oiseau – treize fois plus gros que celui d'un émeu, l'autruche australienne...

On ne s'explique toujours pas comment il est arrivé là. Pour certains, il pourrait s'agir d'un œuf d'azpyornis, un oiseau géant vivant jadis à Madagascar, et disparu de nos jours. Reste à savoir comment il aurait franchi les quelque 6 000 kilomètres de mer séparant l'île de l'Australie ? En dérivant au gré des courants, comme tous ces objets repêchés à la jonction du Pacifique et de l'océan Indien ? A moins, tout simplement, qu'il n'ait été amené par l'homme ou, encore mieux, laissé sur place par le mystérieux oiseau préhistorique dont on a retrouvé des empreintes dans la pierre, non loin de là, et, dit-on aussi, le crâne...

Hécatombe sur l'Atlantique

Un vent glacé creuse la houle. Le *Sidon*, un chalutier norvégien, est ballotté par les lames. En milieu d'après-midi, la tempête s'apaise, mais la mer prend alors un aspect irréel : des bancs entiers de poissons morts dérivent en surface, le ventre à l'air... Huit heures durant, le bateau de pêche coupe au travers de ce véritable cimetière flottant. Il n'est pas le seul, car au total une douzaine de bâtiments croisant au large de Terre-Neuve font le même genre de rencontre macabre, entre mars et avril 1882...

L'Office américain des pêches commande une enquête, dont les premiers résultats indiquent qu'il s'agit de morues tout à fait ordinaires, frappées d'un mal mystérieux. Pour sa part, le directeur de cet organisme, Spencer Baird, penche plutôt pour des représentants d'une espèce voisine, récemment découverte dans l'Atlantique. L'examen des échantillons lui donnera raison.

Quant à la cause de cette hécatombe (qui, d'après les calculs, a fait entre 1 et 2 millions de victimes), elle ne sera jamais complètement établie. On parlera bien d'une brusque libération de gaz toxiques, consécutive à une éruption sous-marine, ou d'une soudaine rupture dans la chaîne alimentaire de ces similimorues, mais l'hypothèse communément admise, c'est que ces poissons ont rencontré un courant froid, et qu'ils ont été saisis...

Le Trésor de l'Inca

L'empire Inca recouvrait un territoire immense, englobant la Colombie, l'Équateur, la Bolivie et des régions entières d'Argentine et du Chili. Les conquistadores qui le jetèrent à bas au XVIe siècle ramenèrent avec eux un fabuleux butin en Espagne.

Après la défaite de ses troupes, l'Inca, Atahualpa, est fait prisonnier par Pizarro et ses troupes. L'empereur tente alors de marchander sa liberté, en offrant un pont d'or à ses geôliers. Il promet de remplir une salle de son palais d'or et d'argent, jusqu'à hauteur du bras.

Pizarro saute sur l'occasion, et il récolte un trésor inestimable. Violant allègrement sa promesse, le soudard hispanique, repu, pour l'instant, fait alors exécuter Atahualpa, en lui laissant néanmoins le choix, tout relatif, entre le bûcher et le garrot. L'Indien ayant été converti dès sa capture, il échappe aux flammes, et il est chrétiennement étranglé.

Un temps encore, les Espagnols reçoivent moult objets précieux – puis le flot se tarit. Pizarro est furieux, qui convoitait tout spécialement une chaîne de cérémonie en or massif, si lourde, dit-on, qu'il fallait une soixantaine d'hommes pour la porter.

S'il n'est jamais tombé aux mains des conquistadores, ce trésor n'est pas forcément perdu pour tout le monde. On assure, au Pérou, que le descendant de l'Inca – dont l'identité est tenue secrète – est toujours en possession d'une fortune considérable.

Il viendrait de temps à autre secourir ses frères de sang dans le besoin. Un Indien, élégamment vêtu, ferait ainsi parfois arrêter sa limousine dans les villages de la cordillère des Andes, où il distribuerait de l'argent aux nécessiteux...

L'Arbre à pluie

Les premiers explorateurs du Nouveau Monde font état, dans leurs récits, d'un arbre qui, non content d'attirer les nuages, fabriquerait aussi de la pluie...

Longtemps tenue par une fable, cette histoire recevra une première confirmation au Brésil, au début du XIXe siècle, puis cinquante ans plus tard, au Pérou. Il semblerait même, dans ce dernier cas, à en croire la revue *Scientific American*, que la pluie suinte du feuillage...

Les « arbres à pluie » apparaissent pour la première fois dans la légende des îles Fortunées, où il ne pleut, dit-on, que sous certains arbres. Mais on raconte le même genre d'histoire aussi bien aux Indes qu'en Guinée, ou au Brésil...

Qu'en conclure ? Pour certains spécialistes, il ne s'agit ni plus ni moins que d'un phénomène classique « d'égouttage » : pompant l'humidité avec leurs racines, les plantes libèrent ensuite le surplus sous forme de résidus gazeux dans l'atmosphère. Seulement, si l'air est déjà chargé d'humidité, comme par exemple sous les tropiques, et que par-dessus le marché le sol est détrempé, c'est par les feuilles que s'évacue le trop-plein de liquide. Dégoulinantes, elles arrosent le terrain alentour... Cela se produit apparemment surtout la nuit. Dans les régions chaudes, zones de hautes pressions, le phénomène revêt parfois une telle ampleur que l'on peut légitimement parler « d'arbres à pluie » – lesquels, malheureusement, ne pousseront jamais dans le désert...

Ils arrivent!

Les Dewilde habitent en lisière d'un petit bois, sur la commune de Quarouble, dans le nord de la France. Une voie ferrée, utilisée pour le transport du charbon extrait des mines toutes proches, passe au bout du jardin. Dans la journée, le trafic est intense, mais la nuit il se relâche, et les Dewilde peuvent se reposer tranquillement. Fidèle à son habitude, Marius Dewilde, le père, reste un moment le soir dans la cuisine à lire son journal, une fois que tout le monde est couché. Quand il ouvre son quotidien, le 10 septembre 1954, il ne se doute pas de ce qui l'attend dehors...

Alerté par les aboiements furieux de son chien, il sort dans le jardin, muni d'une lampe de poche. Près de la voie ferrée se dresse une ombre – sans doute une camionnette ou un tracteur. Entendant un bruit, il se retourne, flanqué de l'animal tout apeuré. Stupeur : deux petits humanoïdes, en costume de plongée, l'un et l'autre sans bras, mais avec des épaules disproportionnées, se dirigent en trottinant vers la masse sombre au bord des rails...

Il se précipite pour les attraper, mais il se fige en pleine course, paralysé par un rayon lumineux jailli du « tracteur »... Quand il peut de nouveau bouger, il est trop tard. Les créatures ont déjà rejoint l'appareil, qui décolle verticalement dans un nuage de fumée. Parvenu à une trentaine de mètres du sol, il se teinte d'une lueur rouge, puis il disparaît en un éclair...

Quand il va raconter son histoire à la police, on refuse bien sûr de le croire, et c'est tout juste si on ne le traite pas de fou. Pourtant, qu'est-ce qui a laissé ces marques sur les wagonnets, rangés sur une voie de garage à proximité de la maison ? De l'aveu d'un ingénieur de la SNCF, il a fallu exercer au moins une pression de 30 tonnes pour creuser ces encoches – sans compter que le ballast est entièrement noirci...

Les Facéties d'un OVNI

Un OVNI jouera les trublions en plein ciel, au point de contraindre un avion charter amenant des touristes autrichiens aux Canaries à atterrir à Valence, en Espagne.

Tout débute au-dessus de la Méditerranée. Un peu avant 11 heures du matin, le commandant de bord, Lerdo de Teraja, distingue sur la gauche deux points lumineux. Un engin non identifié s'approche à grande vitesse. « Il va s'amuser à nous tourner autour, et à décrire toutes sortes d'acrobaties », raconte-t-il, en précisant que l'OVNI était à peu près de la même taille que l'avion...

L'engin poursuit son manège un quart d'heure durant. Le pilote évite même de justesse la collision au large de l'Espagne. Par mesure de prudence, il décide alors de se poser à Valence.

De la tour de contrôle, on voit effectivement passer deux lueurs rouges. L'armée de l'air espagnole envoie deux chasseurs à la poursuite de l'intrus, qui bien sûr leur file sous le nez...

Vies antérieures

Edgar Cayce, le plus célèbre voyant des États-Unis, rêve une nuit qu'il est tué par des Indiens sur les bords de l'Ohio, après avoir tenté vainement de leur échapper avec des amis. Il n'en parlera jamais qu'à ses proches. Imaginez alors sa stupeur, quand un gamin lui dit un jour, en grimpant sur ses genoux : « Nous avons eu bien faim, tous les deux, le long de cette rivière... »

En bon chrétien, Edgar Cayce ne croit pas au départ à la réincarnation, autrement dit à la possibilité de mener plusieurs existences successives. Mais les propos du gosse sont troublants. Malgré ses réticences, il se décide à vérifier. Il entre donc en transe, et il remonte dans le temps... C'est ainsi qu'il se découvre avoir jadis été, dans l'ordre, un haut dignitaire religieux dans l'Égypte des pharaons, puis un apothicaire lors de la guerre de Troie, et enfin dernièrement un soldat anglais stationné aux Amériques, alors colonies de Sa Majesté...

Sceptique, sinon hostile, au départ, il est désormais convaincu que nous avons tous connu des vies antérieures, et qu'il nous est possible de nous en souvenir – sinon d'entendre, dans la bouche d'un petit garçon, la voix d'un compagnon de jadis...

Des animaux dotés de raison ?

Des animaux qui pensent ? Ça s'est vu plus d'une fois. Prenons d'abord le cas de ces bergers allemands, dressés pendant la guerre à compter les déportés qui travaillaient dans les mines. Il fallait qu'il y en ait 12 par ascenseur, pour monter comme pour descendre. Si le chiffre n'était pas respecté, le chien se mettait à aboyer...

Autre exemple, celui de ce babouin, qui assiste un handicapé. L'histoire se passe en Afrique, dans la seconde moitié du XIXe siècle. Un cheminot, qui a le malheur de perdre ses deux jambes dans un accident, reprend ensuite du service comme aiguilleur. Il adopte un babouin, et il le dresse. Non seulement celui-ci sera-t-il capable de s'occuper de la maison et du jardin, mais encore l'assistera-t-il dans son travail, en le poussant dans un chariot sur la voie ferrée, quand il faut aller manœuvrer les leviers de commande...

Dans l'Antiquité, déjà, Hérodote raconte que les prêtres faisaient nettoyer les temples par des babouins, qui, paraît-il, s'en tiraient fort bien. Qui sait, peut-être étaient-ils au fond très fiers de passer la serpillère entre des statues de divinités à tête de singe...

Collision en plein ciel

Un avion de ligne de la compagnie Olympic airways, assurant la liaison entre Athènes et Francfort, sera victime en plein vol d'une collision bien étrange. Le 24 novembre 1983, alors qu'il survole le nord de l'Italie, à une altitude de 30 000 pieds (12 000 mètres), « quelque chose » vient fracasser toute l'aile droite du cockpit. Les pilotes seront obligés de finir le trajet à basse altitude, pour conserver une pression normale dans l'appareil. Les passagers, quant à eux, ne se douteront de rien avant l'atterrissage – l'avion se dirigeant alors tout droit vers les ateliers de réparation...

Génération spontanée

Hercule, dit-on, extermina un jour les terribles oiseaux du lac Symphale, monstres aux plumes d'airain, armés de griffes acérées, qui terrorisaient la population. Aujourd'hui, on pratique essentiellement l'agriculture, dans la région, et aussi la pêche, sur le lac...

Ses eaux poissonneuses nourrissent d'ailleurs une activité florissante – juqu'en 1976, où une sécheresse catastrophique s'abat sur la Grèce. L'eau s'évapore, le lac rétrécit de moitié, et il prend l'aspect d'une grosse mare boueuse. Asphyxiés, les poissons vont tous mourir les uns après les autres...

La sécheresse se poursuivra jusqu'à la fin de l'année 1978. Comment expliquer alors que le niveau du lac remonte subitement en février de cette année-là ? Et surtout, par quel miracle les poissons sont-ils revenus ? Il n'en restait plus un seul, et pourtant, au bout de deux mois, les pêcheurs en ramènent chacun plus de 40 kilos par jour...

Les Poissons tournent de l'œil

On pêche depuis toujours au large de l'île d'Ellafonisos, dans les Cyclades. Comment expliquer, alors, que dans la deuxième quinzaine d'octobre 1986 la mer se couvre de poissons, non pas morts, mais comme saisis ?...

Visiblement, ils sont paralysés. Mais, par un fait étrange, seules les espèces vivant en profondeur semblent touchées. Les analyses toxicologiques n'apporteront rien de nouveau...

Ce n'est pourtant pas la première fois que cela arrive, loin de là, puisque rien qu'entre 1984 et 1986 on voit à deux reprises des bancs entiers de poissons immobiles dériver en surface...

Reptile volant

En 1986, trois chasseurs Crétois font une rencontre mémorable... C'est la publication *Ethnos* qui révèle l'affaire. Alors qu'ils longent, au petit matin, les bords d'un ruisseau, dans les monts de l'Astérousie, Nicolaos Safakianakis, Nikolaos Chalkiadakis et Manolis Calaitzis entendent comme un battement d'ailes. Ils n'y prêtent d'abord aucune attention. Mais que voient-ils alors surgir, dans le ciel ? Un énorme volatile gris, d'aspect proprement incroyable...

Une drôle de bête, avec des ailes sans plumes, comme celles d'une chauve-souris, quatre pattes, celles de devant terminées par des espèces de doigts, les autres par des griffes acérées, et un bec ressemblant à celui d'un pélican... Les trois hommes, médusés, vont la voir s'éloigner ensuite vers la montagne. De quoi peut-il bien s'agir ?

Il leur tarde de rentrer, pour regarder dans les ouvrages spécialisés. C'est là que l'histoire se corse : le seul animal en effet qui se rapproche vraiment de celui qu'ils ont aperçu précédemment, c'est le ptérodactyle, un reptile volant disparu depuis des millions d'années...

L'Engin mystère

Un engin oblong venu du sol fonce droit sur l'appareil ! Le « missile », mesurant dans les 1,50 mètre, et muni d'ailettes, frôle l'avion avant de poursuivre sa course vers le ciel...

Livide, le pilote étreint les commandes, puis il appelle la tour de contrôle. « On » a failli abattre un Boeing 737 de la compagnie Delta Airlines, assurant la liaison entre Pittsburgh et Atlanta, avec 150 passagers à bord !

L'armée de l'air et la Météorologie nationale rejettent toute responsabilité dans l'incident, n'ayant, l'une comme l'autre, lancé aucun engin, missile ou ballon-sonde, dans le secteur à ce moment-là. Du côté de l'Agence fédérale pour l'aviation (Federal Aviation Agency), on conclut, par la voix de Kathleen Bergen, à un ballon gonflé à l'hélium, échappé dans la haute atmosphère, même si les météorologues soulignent qu'il n'y avait presque pas de vent, et que de toute façon les courants ascendants ne pourraient en aucune manière chasser un ballon à cette vitesse...

On s'en tient donc officiellement à la thèse du ballon publicitaire, aspiré dans la haute atmosphère. « Ces engins peuvent franchir des distances considérables en un rien de temps », explique Kathleen Bergen. N'allez surtout pas lui parler d'un OVNI...

Un médium au Mexique

L'hypnose, à l'époque, était en vogue. On s'en servait notamment pour traiter l'insomnie. En 1919, un médecin allemand exerçant au Mexique, nommé Gustav Pagenstecher, entend l'une de ses patientes, Maria Reyes Zierold, lui déclarer, en état de sommeil artificiel, que sa fille écoute à la porte. Par acquit de scrupules, il va voir, et il est médusé de découvrir l'enfant... Par la suite Gustav Pagenstecher entreprend de déterminer, avec l'accord de cette dame, si elle possède ou non des dons de voyance...

Les résultats dépassent toutes les espérances. Suffit-il, en effet, de lui confier un objet quelconque pour qu'elle raconte dans le menu les événements qui lui sont liés : quand on lui donne, par exemple, une lanière, elle « visionne » un paysage noyé sous la brume, avec des soldats, et un échange de tirs nourri... Vérification faite, c'était l'attache de la plaque d'identité d'un soldat allemand, lequel confirma avoir reçu ce jour-là le baptême du feu...

Mise au courant, la Société américaine de recherches métapsychiques (American Society for Psychical Research) dépêche un représentant chargé de vérifier s'il s'agit bien de voyance, ou tout simplement de télépathie. Walter Price se livre donc à toute une série d'expériences avec Maria Reyes Zierold. Il lui présente par exemple deux cartons contenant chacun une étoffe de soie. Le premier, où est rangé un drap d'autel, lui évoque spontanément une église, avec des Indiens qui dansent, et le second, renfermant une étoffe neuve, la fabrique d'origine en France...

Des lueurs dans la Pampa

Située à 3 kilomètres de la petite ville de Trancas, au nord-ouest de l'Argentine, la ferme des Moreno n'est pas, à l'époque, reliée au secteur. Aussi, quand le générateur électrique tombe en panne, le 21 octobre 1963, tout le monde va-t-il se coucher de bonne heure. Seule demeure éveillée Yolie de Valle Moreno, qui doit donner le biberon à son bébé.

La maison est plongée dans le silence et l'obscurité. Dora, la bonne, se précipite soudain chez Yolie, en expliquant qu'il y a de drôles de lueurs dehors. La jeune femme sort voir, en compagnie de sa sœur Yolanda. La cour entière est éclairée comme en plein jour. Près de la voie ferrée, on distingue un étrange attelage, composé de deux engins circulaires et lumineux, reliés par une sorte de passerelle, à l'intérieur de laquelle se profilent des ombres... On aperçoit un autre objet près de la barrière, équipé de deux feux de position vert pâle. Là encore, il s'agit d'une sorte de disque lumineux, d'environ 10 mètres de diamètre, et surmonté d'une coupole. Il semble flotter au-dessus du sol, en émettant un petit bruit caractéristique. Une sorte de gyrophare illumine l'intérieur de la soucoupe volante, percée de six hublots, et qui se voile de brume. Soudain, il en jaillit des flammes, et les deux sœurs sont jetées à terre.

Partant de l'extrémité supérieure de l'appareil, un pinceau lumineux balaie la ferme et ses dépendances. Depuis la voie ferrée, trois autres OVNIS fouillent également les alentours à l'aide de projecteurs. Cela durera en tout près de trois quarts d'heure, jusqu'à ce que les six engins décollent, et disparaissent en un éclair au-dessus de la sierra Morena...

A l'intérieur de la maison, la température, qui a brusquement monté, atteint maintenant les 40 degrés. La chaleur mettra des heures à se dissiper, ainsi que l'odeur de soufre et le nuage blanc qui enveloppait l'OVNI précédemment garé devant la barrière. Enfin, comble de mystère, chaque engin laisse derrière lui une petite pyramide de boules blanches, composées essentiellement de carbonate de calcium et d'un peu de carbonate de potassium...

Au total, une dizaine de personnes de Trancas verront ce soir-là briller d'étranges objets le long de la voie ferrée...

Lacs détonants

Tous les ans, à l'automne, Albert Ingalls retourne sur les bords du lac Seneca, où il venait dans sa jeunesse nager, pêcher et faire du bateau. Le cadre, admirable, présente aussi une particularité : les journées, à cette époque, y sont ponctuées de détonations sourdes, comme des coups de canon au loin. Les Indiens les entendaient déjà, bien longtemps avant l'arrivée des Blancs...

Il s'agit, d'ailleurs, d'un phénomène assez fréquent, puisqu'on l'observe dans de nombreux pays, tels l'Italie, la Belgique, Haïti, et un peu partout en Afrique. Mais c'est en Irlande du Nord qu'il est le plus spectaculaire. Là-bas, sur le Lac lough Neagh (un ancien cratère volcanique, d'une superficie d'environ 9 000 kilomètres carrés), c'est toute l'année que l'on entend des déflagrations. Quantité de gens y viennent pêcher, mais jamais personne n'a rien remarqué de suspect, à part ce bruit, qui semble là aussi venir de loin, et que l'on entend par tous les temps – même lorsque le lac est pris par la glace, comme durant l'hiver 1896...

D'où cela peut-il bien venir ? Mystère. Pour l'heure, on en est réduit aux hypothèses. Il pourrait notamment s'agir d'une brusque libération de gaz au fond de l'eau, sous forme de bulles microscopiques, et donc indétectables. Auquel cas, cela risque de s'arrêter bientôt, car l'exploitation intensive de gaz naturel entreprise depuis peu dans la région remplacera avantageusement cette « soupape de sécurité »...

Illusions acoustiques

Le 14 juin 1903, en Afrique du Sud, une habitante du Transvaal, Ann H. Bourhill, est réveillée par une violente déflagration. Deux autres suivent, à quelques secondes d'intervalle. A chaque fois, on entend fuser un projectile, puis une explosion formidable, qui porte à plus de 20 kilomètres...

Disons tout de suite que cela n'a rien d'exceptionnel. On signale un peu partout de telles détonations subites et inexplicables. L'hypothèse la plus plausible, c'est qu'il s'agit de perturbations électriques intervenant à haute altitude...

Au Texas, par exemple, un sifflement strident précède l'apparition d'une météorite. De l'avis d'un astronome, H. Hininger, il s'agit ni plus ni moins d'un phénomène d'illusion acoustique, les ondes électriques bouleversant soudainement notre appareil auditif, qui les perçoit alors comme des sons. Mais cela reste à prouver, et rien ne dit que ce ne sont pas tout simplement des « bang » d'avions supersoniques, ou encore des grondements souterrains...

L'Onde bruissante

De l'onde obscure naissent parfois des mélodies étranges... C'est exactement ce qui se passe sur deux lacs américains – le lac Soshone et le lac Yellowstone, situés l'un et l'autre dans le parc national de Yellowstone, au cœur du Wyoming – où l'on entend à l'occasion un drôle de bruit, que l'on compare au chant d'une harpe, ou plus prosaïquement au bourdonnement de câbles électriques au vent...

Citons, entre autres, le témoignage de S.A. Forbes. Un jour où il se promène en bateau sur le lac Soshone, il dresse soudain l'oreille : presque imperceptible au début, le bruit augmente au fur et à mesure où il avance, puis il décroît, passé un certain cap. A noter aussi qu'on l'entend par intermittence, et qu'il peut durer aussi jusqu'à trente secondes...

Il semblerait que cela se produise surtout le matin très tôt, par grand beau temps. Mais on a déjà constaté la chose en pleine journée, quand il y a du vent. Nul ne sait d'où ça vient, et l'on se pert en conjectures...

Météorites à la dérive

Le 10 avril 1972, une météorite bleutée, présentant l'aspect d'une boule incandescente, traverse lentement le ciel des États-Unis et du Canada, laissant derrière elle une traînée de fumée qui persiste une heure durant...

En général, lorsqu'une météorite pénètre dans l'atmosphère, elle vient s'écraser sur terre. Pas cette fois-ci, pourtant, car, nous dit la revue *Nature*, « elle rebondit en altitude, avant de poursuivre sa route dans l'espace... ».

On a déjà vu d'autres météorites, se dirigeant vers la terre, opérer un rebond analogue. Ainsi, le 14 novembre 1960, dans l'océan Indien, un officier du *Saint Hector*, assurant la liaison entre Adélaïde, en Australie, et le port d'Aden, au Yémen du Sud, observe un phénomène de ce type. Une météorite, intensément brillante, amorce sa descente, puis remonte aussitôt. La scène en tout ne dure que quelques secondes. Il semble même que dans certains cas, ces corps célestes ricochent littéralement sur les hautes couches de l'atmosphère...

Le mécanisme est au fond assez simple. Comme tous les corps rentrant dans l'atmosphère, les météorites subissent un violent échauffement. Les gaz et les autres matières volatiles qu'elles contiennent entrent en combustion, ce qui suffit parfois à dévier leur trajectoire...

Les Fatas Morganas

Par beau temps, lorsque le soleil brille au zénith, il est courant d'apercevoir, dans le détroit de Messine, au large de la Sicile, une ville fantôme, avec des monuments antiques, des palais somptueux, des allées bordées d'arbres et des personnages, à pied ou à cheval...

Si, par contre, il y a du brouillard, la scène se dédouble dans le ciel. A défaut d'explications concernant ces fameux mirages, appelés « Fatas Morganas » (du nom de la fée Morgane, sœur du roi Arthur, qui attirait les marins sur les récifs en les faisant passer à leurs yeux pour des ports), on se borne à constater qu'ils se produisent surtout dans des régions froides (Sicile exceptée !) telles que l'Écosse – à Firth of Forth, par exemple...

Le mystère demeure donc entier, et d'aucuns sont tentés de n'y voir que de simples illusions d'optique...

Mirage en mer

Le 15 avril 1949, le second du *Stirling Castle* aperçoit un navire, à environ 5 milles à babord avant. A la jumelle, il voit bien clignoter les lumières du bateau, mais celles-ci, raconte-t-il dans *Marine Observer* (la revue des gens de la mer), se dédoublent dans le ciel, formant une colonne lumineuse!...

Un mirage... Sans être purement fictives, comme les Fatas Morganas, ce sont des illusions d'optique du même ordre qui expliquent que l'on voie tantôt des lueurs imaginaires à l'horizon, tantôt deux planètes identiques, tantôt encore, dans certains cas, des OVNIS...

Virginale Apparition

Ce n'est pas tous les jours qu'on voit la Sainte Vierge. Ce privilège insigne est actuellement l'apanage des Égyptiens. Oui, là-bas, sur les bords du Nil, la Madone est une vraie star, qui brille au firmament, et qui draîne des foules considérables...

Il suffit d'aller à Zeitoun, et de faire le gué le soir devant l'église copte de Sainte-Damiana, pour être témoin du miracle quotidien : un visage, auréolé de douceur, trône au-dessus du dôme du lieu saint – Marie, reine de Lumière, dont la grâce éclaire le monde, quand flotte dans l'air, dit-on, le parfum de l'encens...

L'émoi est considérable au sein de la petite communauté chrétienne d'Égypte. On se bouscule pour être aux meilleures places, on veille des nuits entières, pour se prosterner à l'aube devant la Bonne Mère...

Tout commence en avril 1968. Ça continue ensuite jusqu'en 1971. Et puis, après une interruption de près de quinze ans, la revoilà !

On ne sait vraiment pas pourquoi. D'ailleurs, personne n'a songé à le lui demander. Comme dit Moussad Sadik, journaliste au Caire, « à chacun sa religion... ».

Des Vikings sur la côte Ouest

On sait désormais que ce n'est pas Christophe Colomb qui a découvert l'Amérique, mais les Vikings, au xe siècle. Les vestiges de hameaux norvégiens retrouvés à Terre-Neuve et au Labrador ne laissent planer à cet égard aucun doute. Et si ces hardis navigateurs avaient ensuite contourné l'Alaska, et exploré les côtes du Pacifique ? On dispose, en effet, de toute une série d'indices troublants...

A l'époque d'Erik le Rouge et de Leif Eriksson, il fait nettement moins froid que maintenant, et il est donc beaucoup plus facile de franchir le détroit de Béring, pratiquement vide d'icebergs. D. et M. Cooledge insistent sur ce fait capital dans leur ouvrage : *The Last of the Seris* (Le Dernier des Séris). On comprend mieux, dès lors, la place que tiennent dans la légende des Indiens Séris, installés sur l'île de Tiburon, au large de la Californie, ces étrangers blonds, venus au temps jadis sur de longs bateaux – des Vikings, à l'évidence. « Des hommes venus de loin... Quand Dieu était encore tout petit... sont arrivés sur des grandes barques avec des têtes de serpent... Ils portaient la barbe, et de longs cheveux blancs... »

Les visiteurs chassent un temps la baleine dans le coin, puis ils repartent et mettent le cap au sud. C'est alors qu'ils font naufrage sur les récifs, et qu'ils sont recueillis par les Indiens Mayos, au sein desquels ils ne tardent pas à se fondre...

Ils laisseront pourtant des traces de leur passage, et c'est ainsi que l'on voit là-bas d'étranges Peaux-Rouges blonds aux yeux bleus... Tout métissage ultérieur avec des Anglo-Saxons est à exclure, car jusqu'à une date récente, il était formellement interdit à un Mayo, sous peine de bannissement, de se marier en dehors de sa tribu...

Tout indique, par contre, que pendant un siècle, les Vikings, selon leur habitude, ont remonté les fleuves et les rivières, loin à l'intérieur des terres. Par deux fois, on retrouvera, au bord d'un cours d'eau, les restes d'un drakkar enfoui dans le sable. Près de Baja, d'abord, tout au sud de la Californie, une dame, si l'on en croit les auteurs de l'*Ouest sauvage* (The Mysterious West), découvre un beau jour la carcasse d'une embarcation flanquée de boucliers, comme celles des Normands. Toujours dans la même région, deux archéologues repèrent la proue sculptée d'un vaisseau, qui dépasse du sol. Un éboulement, hélas, va tout recouvrir...

Vestiges romans en Arizona

Un certain Charles Manier fera sensation, le 13 septembre 1924, en annonçant la découverte, au nord-ouest de la ville de Tucson, dans l'Arizona, d'une collection entière d'instruments en plomb datant visiblement du haut Moyen Age : croix massive, poignards, épées, lances, massues, en tout une trentaine d'objets...

A noter qu'ils sont tous recouverts d'une gangue blanchâtre, du caliche, un composé alcalin qui se dépose au fil des siècles dans les régions arides, ce qui donne déjà une idée de leur ancienneté...

Les inscriptions en latin qui apparaissent sous cette pellicule laissent penser que ces objets ont été fabriqués entre le VIe et le VIIe siècle de notre ère. Mais comment des Européens ont-ils pu aller, à cette époque, jusqu'en Arizona ? La question reste ouverte.

La Cité boréale

Deux archéologues, Magnus Mark et Froelich Rainey, vont faire la découverte de leur vie en Alaska, au mois de juin 1940. C'est la deuxième fois qu'ils viennent sur le site d'Ipiutak, et leur persévérance se voit soudain récompensée. Ils sont intrigués par des taches claires au milieu de l'herbe et des lichens qui recouvrent la terre au printemps. Disposés selon un plan géométrique, ces carrés jaunâtres désignent en fait l'emplacement des habitations qui jadis s'élevaient à cet endroit...

On dénombre en tout les restes de 800 maisons, dont les trois quarts affleurent en surface, les autres étant plus profondément enfouis. S'étendant sur environ 1,500 kilomètre de long et plus de 300 mètres de large, l'agglomération devait compter dans les 4 000 habitants – chiffre énorme, à cette latitude, loin au nord du cercle polaire...

Mais le plus étonnant, c'est qu'il ne s'agissait certainement pas d'Esquimaux, ni de leurs ancêtres, car les objets sculptés ou finement ciselés retrouvés sur place indiquent que ces gens possédaient une technique et une culture autrement développées que celle des Inuits...

Châteaux en Alaska

Tous les ans, du 21 juin au 10 juillet, apparaît, à l'heure du dîner, « la ville fantôme de l'Alaska », au-dessus du glacier du mont Fairweather. Il s'agirait en fait de la ville anglaise de Bristol, située à plus de 4 000 kilomètres de là (ce qui en soi constitue un record, les mirages ne portant jamais, en principe, à plus de 1 000 kilomètres). On verrait en effet un clocher apparemment identique à celui de la cathédrale Saint Mary Redcliff.

Si ce phénomène n'est toujours pas élucidé, on suppose néanmoins que les couches supérieures de l'atmosphère, agissant comme une sorte de loupe, grossissent et reflètent ces images lointaines...

Mémoire d'éléphant

On peut citer mille exemples d'individus dotés d'une mémoire prodigieuse (Mozart, Napoléon, etc.). Dans le lot, les « spécialistes du calendrier », capables de dater avec précision n'importe quel jour (soit de donner sa position exacte dans la semaine), occupent une place à part...

Un Anglais, Daniel MacCarney, aura, lui, la particularité de se souvenir de pratiquement tout ce qui lui est arrivé durant sa vie. Il en fournira la démonstration publique, lors même qu'on cherche à le prendre en défaut. Un monsieur l'interroge sur une journée remontant à plus de quinze ans. Cela tombait un vendredi, répond-il. Son interlocuteur se récrie : il s'agissait d'un jeudi; il s'en souvient d'autant mieux que c'était le jour de son mariage. Daniel MacCarney n'en démord pas. On vérifie sur un vieux calendrier, et force est de reconnaître qu'il a raison...

En sus de la date et du temps qu'il faisait ce jour-là, Daniel MacCarney sera aussi capable, et ce jusqu'à la fin de sa vie, de dire ce qu'il a mangé aux trois repas, pendant un demi-siècle. Il s'éteindra paisiblement en 1887, en emportant avec lui le secret de sa mémoire d'éléphant...

Maçonnerie inca

Quantité de monuments érigés par les Incas ou par leurs prédécesseurs demeurent à ce jour des énigmes. Citons, entre autres, les fortifications de Sacsahuaman et d'Ollantay, au Pérou, et celles de Tiahuanaco, en Bolivie. Constituées d'énormes blocs rocheux, elles ont résisté à tous les tremblements de terre qui ont rasé villes et villages perchés dans la cordillère des Andes. Comment a-t-on pu transporter des roches pesant jusqu'à 150 tonnes ? Et comment les a-t-on ensuite assemblées avec une telle perfection qu'il est encore impossible de glisser entre elles une lame de couteau, après des milliers d'années ?

Pour le colonel Percy Fawcet, qui a passé sa vie à sillonner la région, les architectes de l'époque ont dû utiliser, à défaut de mortier, une sorte de colle liquide pour les faire tenir en place.

Il semblerait, en effet, que des oiseaux se servent là-bas de certaines feuilles pour « ramollir » la pierre et y creuser des niches. De même, on raconte que, en traversant une prairie couverte de fleurs rouges, un homme a vu fondre ses éperons. D'après les Indiens, c'est avec de telles plantes que les Incas, ou leurs ancêtres, « fondaient » jadis la roche...

Citons, à ce propos, une anecdote curieuse, rapportée par deux ingénieurs américains, qui dirigeaient la construction d'un barrage. Lors des travaux de terrassement, on découvre, dans une tombe, un petit récipient hermétiquement clos, contenant, selon toute vraisemblance, de la « bechicha », un alcool local.

Pour s'amuser, les ingénieurs veulent forcer un

ouvrier à la boire, mais celui-ci se débat farouchement, et le pot tombe et se casse sur un gros caillou. A la stupeur générale, la roche « fond » littéralement, avant de retrouver, petit à petit, sa consistance initiale...

Dune mélodieuse

Lorsqu'il y a du vent ou des promeneurs, il s'élève une étrange musique du djebel Nagus, une dune de sable sur la côte ouest du Sinaï. La légende veut que ce soit le nagus, autrement dit le gong d'un ancien monastère enseveli... Cela étant, on n'entend pas vraiment le son d'une cloche ou d'un gong, mais plutôt celui d'une harpe ; on le compare aussi au sifflement d'un verre humide sur le bord duquel on promène le doigt, ou bien au mugissement caractéristique d'une flasque vide quand on souffle dedans, ou à la plainte grave d'un violoncelle, ou encore au bourdonnement d'une toupie...

Ailleurs aussi, on observe le même phénomène ; comme, par exemple, à Reg-Ravan, au nord de Kaboul, ou dans la plaine d'Arequipa, au Pérou. Dans l'ensemble, on parle tantôt de grondements, tantôt d'un véritable vacarme, tantôt encore de simples grincements... Dans le Nevada, à l'est du comté de Churchill, exactement, sur un périmètre de 2 kilomètres carrés, le sable émet un bruit assourdissant, comme si des centaines de câbles électriques vibraient au vent...

Transformée en torche vive

Deux vieilles demoiselles, Margaret et Wilhemina Dawar, coulent une retraite paisible d'institutrices à Whitley Bay, dans le Northumberland. Mais un jour c'est le drame : Wilhemina décède dans des conditions rocambolesques, et sa sœur est arrêtée...

Le 23 mars au matin, les hurlements de Margaret ameutent tout le quartier : sa sœur est morte carbonisée ! Elle s'est littéralement calcinée dans son lit, sans raison apparente. Mais le plus étrange, c'est que tout le reste autour d'elle, à commencer par la literie, est intact. On soupçonne tout de suite Margaret de l'avoir assassinée, et d'avoir ensuite organisé cette mise en scène macabre pour effacer les traces et égarer les enquêteurs. Margaret Dawar nie farouchement, et elle prétend même que cela s'est passé à son insu...

Elle finira cependant par avouer s'être précipitée dans la chambre en entendant des cris, et avoir vu Wilhemina transformée en torche vive...

A défaut d'une meilleure explication, elle sera relaxée, et l'on clora le dossier – sans avoir jamais fait la lumière sur les circonstances exactes du décès de Wilhemina Dawar...

Des rats et des hommes

De nombreuses espèces animales ont disparu, et quantités d'autres sont menacées. Il y en a deux, en tout cas, qui ne risquent rien, et qui depuis leur apparition prolifèrent joyeusement sur le globe : on veut parler des rats et des hommes...

Les guerres, les famines et les épidémies, qui décimaient jadis la population, ne sont plus que de mauvais souvenirs. La natalité restant souvent très forte, on assiste actuellement à une explosion démographique, sans précédent et pour la première fois les hommes, en cette fin du xxe siècle, sont plus nombreux que les rats...

En réalité, l'homme et le rat coexistent depuis toujours, le second vivant aux dépens du premier, et l'accompagnant partout où il va. Ensemble, ils ont colonisé la planète entière. L'homme a bien sûr tout fait pour se débarrasser des rongeurs, mais ceux-ci sont malins, et dotés d'une prodigieuse faculté d'adaptation, alliée à une fécondité proprement affolante : une femelle peut avoir jusqu'à deux portées de six petits en l'espace d'un mois et demi ! Rien n'y fait : furets, chiens, chats, pièges, poison, les rats sont toujours là, et il semble que l'on doive en prendre son parti.

Espérons seulement qu'ils ne nous suivront pas dans l'espace, et que l'on ne va pas un jour les retrouver sur Mars ou sur Vénus !

La Combustion spontanée face à la médecine

Le 12 mai 1890, le docteur Hartwell, qui traverse un petit bois en calèche, est attiré par des hurlements épouvantables. Il se précipite, et il découvre le spectacle horrifiant d'une dame transformée en torche vive au pied d'un arbre ! Plusieurs personnes seront également les témoins impuissants de cette fin atroce...

Attention ! ne riez pas. Cela pourrait très bien vous arriver, à vous aussi. Croyez-le ou non, mais il y a des tas de gens qui meurent carbonisés, comme ça, en prenant feu tout d'un coup, sans que l'on sache pourquoi ni comment. S'il règne à ce sujet, éminemment brûlant, une véritable conspiration du silence, n'oublions pas que, de l'aveu des spécialistes réunis en 1959, lors du Congrès américain de médecine légale, « on a dûment constaté de nombreux cas de décès par combustion spontanée »...

Inutile de vous promener avec un extincteur. Le feu vient de l'intérieur ; c'est un peu comme si vous aviez avalé une grenade incendiaire. Il n'y a rien à faire... Mais rassurez-vous, c'est quand même assez rare...

Dentiste ventriloque

Un dentiste, Kurt Bachseitz, est en train de parler au téléphone avec l'un de ses clients. « Inutile de vous sauver, ça ne sert à rien », coupe soudain une voix...

L'impertinent va se manifester régulièrement pendant deux mois. Se présentant sous le nom de « Chopper », il s'intéresse de près, tout d'abord, à Claudia, la secrétaire. Bientôt, on l'entend partout, jusqu'aux toilettes...

Sceptiques, les agents des Télécommunications concluent à une interférence avec un radioamateur. Faute de mieux, on pose une nouvelle ligne et on change toute l'installation de l'immeuble. Peine perdue. Non seulement la voix persiste-t-elle, mais encore un journaliste parvient à l'enregistrer : « Vous m'avez pris mon standard, mais ça ne fait rien. Je vous entends quand même !... »

La presse s'empare de l'affaire, et chacun y va de son explication. On parle tour à tour de phénomène paranormal, de manifestation de l'inconscient, ou de projection mentale, de la part d'un muet...

La vérité est à la fois plus simple et plus cocasse : en mars 1982, Kurt Bachseitz avoue qu'il est ventriloque, et qu'il a monté lui-même tout ce canular...

Quand le ciel s'embrase

Le 17 novembre 1882, une traînée lumineuse griffe l'horizon dans le nord de l'Europe. Les savants débattront longtemps avant de conclure qu'il s'agit d'une « aurore boréale causée par une météorite » – la lueur semblant en effet suivre une trajectoire déterminée...

Les habitants de Cincinnati seront, quant à eux, témoins d'un spectacle encore plus étonnant, en 1849 : une bande de lumière se dresse soudain dans le ciel, puis explose, provoquant un embrasement général. S'ensuivent encore cinq éclairs lumineux au même endroit...

Plutôt que de vraies météorites, composées de roches et de métaux, il s'agirait en fait, au dire des chercheurs, de perturbations affectant la haute atmosphère, dues, selon toute vraisemblance, à des aberrations gravitationnelles ou à des bouffées de vent solaire...

Cerveau photosensible à distance

Au sortir d'une longue maladie, un habitant de Chicago, Ted Serios, se découvre le don incroyable de pouvoir photographier en Polaroïd des lieux situés à des kilomètres de là, rien qu'en dirigeant l'objectif sur son visage!

Apprenant la nouvelle, un éditeur d'Evanston, dans l'Illinois, vient constater le prodige et s'assurer qu'il n'y a aucun truc. Il lui donne donc un appareil chargé d'une pellicule vierge, et il surveille qu'il le tient bien à bout de bras, tourné vers lui-même, au moment où il appuie sur le déclencheur...

Il retire ensuite le rouleau, et il attend que le cliché se développe. On distingue clairement l'inscription « Division Aérienne », peinte sur un hangar, ainsi que des bribes de mots, qui laissent penser à un cantonnement de la police montée canadienne...

L'état-major des Tuniques rouges, à qui on transmet la photo, confirme qu'il s'agit effectivement d'un hangar, à la caserne de Rockliffe, dans l'Ontario...

Ubiquité

« Je me suis montré à ceux qui ne me cherchaient pas... » Un Cheyenne qui invoque le Grand Manitou voit débarquer Jésus-Christ ! Vous imaginez un peu sa tête – au Cheyenne. Et dire qu'il était allé tranquillement se recueillir dans les bois, comme le veut la tradition, après le décès d'un parent...

Il procède au rituel coutumier, entre en transe, appelle le Grand Esprit, et... une nuée lumineuse tournoie sur la clairière ! Un homme au teint pâle, vêtu d'un habit blanc, et portant les cheveux longs, s'approche en souriant du Peau-Rouge médusé... Ému par le triste sort fait aux Indiens, parqués dans leurs réserves et privés des grands troupeaux de bisons qui parcouraient jadis la prairie, celui qui se présente comme le fils de Dieu a décidé de leur porter secours. Il leur suffirait, dit-il, d'avoir foi en lui, et de garder espoir, pour être débarrassés des Blancs, source de tous leurs maux...

A son retour, notre Cheyenne ne souffle mot de l'aventure à ses congénères. Il se trouve alors qu'un peu partout dans la région des Indiens, Cheyennes ou pas, sont frappés de visions analogues, en général lors des cérémonies traditionnelles. Toute la moitié sud des montagnes Rocheuses est touchée, jusqu'au rio Grande...

Bien que la figure du Messie soit commune à de nombreuses civilisations, l'Église hésite encore sur le sens à donner à ces apparitions divines au Far West...

Banlieusards lapidés

Un incident fâcheux, qui se reproduit tous les soirs, trouble la sérénité d'une banlieue pavillonnaire de Birmingham, en Angleterre : « on » bombarde de pierres les habitations, côté jardin...

Faute de trouver par eux-mêmes le mauvais plaisant qui s'amuse à leur jouer ce vilain tour, les gens s'adressent à la police. L'enquête de routine ne donnant rien, l'affaire sera transmise au commissaire Len Turley, qui va alors employer les grands moyens pour démasquer le coupable. On installe des caméras dans le quartier, les inspecteurs font le guet des nuits entières... Peine perdue. Les pierres continuent à arriver, sans qu'apparemment personne ne les lance...

Ce sont sans aucun doute des cailloux tout ce qu'il y a de plus ordinaire, comme on en trouve partout dans le coin. Ils sont seulement dépourvus de toute indication, trace de terre, empreintes digitales, etc., comme s'ils avaient été soigneusement lavés puis essuyés...

En définitive, il faudra se contenter de clouer des planches sur les fenêtres et de poser du grillage autour des jardins – tout en évitant, bien sûr, d'y sortir le soir...

La Vie après la mort

Et s'il survivait une forme de conscience après la mort ? C'est du moins ce que prétend un physicien polonais, Janusz Slawinski...

A l'appui de sa thèse, il rappelle que l'on sait depuis longtemps, grâce aux expériences de laboratoire, que les cellules libèrent une soudaine bouffée de radiations avant de mourir. Ce flux d'ondes serait même, à l'en croire, suffisamment puissant pour « ramasser » au passage des lambeaux entiers de conscience ou de mémoire...

A noter que ce genre de « flash » n'est pas l'exclusivité des mourants, mais qu'il peut se produire à tout instant, et donc expliquer aussi bien les expériences d'évasion hors du corps que celles de mort apparente...

Janusz Slawinski en conclut donc que « le rayonnement électromagnétique dégagé par les êtres vivants permet d'imaginer la perpétuation d'une forme de vie après la mort »...

Une mystique en Bavière

Lorsqu'une personne est marquée des stigmates – c'est-à-dire des cinq plaies du Christ en croix –, c'est en général une femme. Le cas le plus fameux est sans nul doute celui de Theresa Neumann ; une petite paysanne bavaroise, née en 1898.

Elle connaît une enfance ordinaire, sinon banale. Plus tard, elle s'engage comme fille de ferme, mais sa santé fragile l'oblige à garder le repos. En 1926, pourtant, pendant le carême, le Christ lui apparaît, et elle est subitement guérie. Seulement, maintenant, elle présente, comme d'autres avant elle (saint François d'Assise, par exemple) les cinq blessures miraculeuses du Crucifié, y compris les traces de fouet sur le corps et de la couronne d'épines sur le front...

Les plaies vont désormais se rouvrir tous les ans à la même époque, provoquant à chaque fois de sérieuses hémorragies : elle perd jusqu'à quatre litres de sang en quinze jours !

Theresa Neumann, dès lors, mènera une vie de recluse, alitée le plus souvent. Les médecins qui se succèdent à son chevet sont unanimes à dire qu'il ne s'agit pas d'un canular, et qu'il n'y a aucun truquage...

Autre prodige, elle ne boit ni ne mange quasiment pas, jusqu'à sa mort en 1962. La communion tous les jours, une verre de vin de Moselle à l'occasion, elle tiendra ainsi pendant trente-cinq ans, sans dépérir ni tomber malade – qu'en pensent nos diététiciens modernes ? – mais elle est sans cesse en proie à des visions, ou à des extases mystiques...

Le Premier OVNI signalé

L'avion roule lentement sur la piste. Kenneth Arnold, un homme d'affaires, s'apprête à décoller pour Yakima, aux commandes de son avion personnel. Au dernier moment, il reçoit un contrordre de la tour de contrôle : un appareil militaire, transportant des marines, a disparu, et tout le secteur est provisoirement interdit. A 2 heures de l'après-midi, on lui donne enfin le feu vert, et il quitte Chesalis, mettant cap plein ouest, en direction du mont Rainier.

Le ciel est dégagé, il n'y a quasiment pas de vent. Derrière lui, un peu plus bas, suit un DC-4. Tout est normal. Kenneth Arnold se cale confortablement dans son siège. Un éclair illumine la cabine. Il cligne des yeux – le soleil qui se reflète sur les ailes, pense-t-il. Erreur. Car il aperçoit alors une dizaine d'appareils filant, à la queue leu leu, vers le mont Rainier. Ils vont tellement vite que Kenneth Arnold pense tout d'abord qu'il s'agit de chasseurs d'un modèle nouveau effectuant un vol d'essai.

De temps à autre, il y en a un qui pique vers le sol, ou qui vire de bord. Mais le plus étonnant, dit Kenneth Arnold, c'est qu'ils sont ronds. Oui, on dirait des espèces de « soucoupes », surmontées d'un dôme...

Le mot est lancé. Depuis lors, on ne cesse de parler de « soucoupes volantes ». Kenneth Arnold est submergé de coups de fil de curieux, qui veulent des détails sur son extraordinaire rencontre en plein ciel. Officiellement, pourtant, on affiche un total scepticisme, et on se dépêche de classer l'affaire. Pour l'armée de l'air, Kenneth Arnold a tout simplement été aveuglé par le soleil, et il a vu des petits points noirs danser devant ses yeux...

Soit, répond Kenneth Arnold ; mais alors, que sont devenus le DC-4 et l'avion de transport des marines ?

Crésus et la Pythie

Devant le danger perse, Crésus, roi de Lydie, connu pour sa richesse proverbiale, s'avise un jour, voici plus de deux mille cinq cents ans, de consulter un oracle : la menace se précise, et il ne voudrait rien entreprendre à la légère. Ce ne sont pas les devins qui manquent autour de la Méditerranée, mais il tient évidemment à entendre le meilleur. Comment le reconnaître ? Il sélectionne d'abord les sept plus prestigieux, et il décide de les départager en leur faisant passer à chacun un petit examen...

Il leur faudra donc raconter par le menu à un envoyé du roi de Lydie ce que ce dernier fait à un moment donné de la journée. A l'instant considéré, Crésus se livre en l'occurrence à un manège singulier, que seul peut deviner un mage authentique : il découpe en morceaux un agneau et une tortue, puis il les jette sur le feu dans une marmite en cuivre...

La seule à triompher de cette épreuve sera la Pythie de Delphes, qui décrira dans les moindres détails l'étrange rituel du roi de Lydie. Elle donnera même, nous dit Hérodote, la réponse sans qu'il soit besoin de l'interroger... Crésus sera tellement impressionné qu'il la couvrira d'or et de présents...

L'Armée de l'air et les OVNIS

Le 13 août 1956, les radars de la base aérienne de Bentwaters, près de la ville d'Iswich, en Angleterre, détectent un appareil inconnu, filant à plus de Mach 2, à environ une cinquantaine de kilomètres. Il passe comme une fusée au-dessus de l'aérodrome, sans qu'on ait le temps de le voir...

Alerté par la tour de contrôle, un avion présent dans les parages signale qu'il est doublé, à basse altitude, par un engin lumineux, enveloppé d'une sorte de halo, qui fonce à une allure vertigineuse...

L'OVNI se dirigeant droit sur la base voisine de Lakenheath, il est suivi de bout en bout par les radars. Sous les yeux des opérateurs ébahis, il s'arrête brusquement, et change de cap. Au sol, on distinguera vaguement deux lueurs fugaces.

La Royal Air Force envoie un chasseur à sa poursuite. L'OVNI va se laisser approcher, et pendant dix minutes il va jouer à cache-cache avec lui en plein ciel, en décrivant toutes sortes d'acrobaties invraisemblables, comme par exemple se retourner sur lui-même en une fraction de seconde, et repartir dans le sens inverse.

« Visiblement guidées par une intelligence, les évolutions de l'OVNI requièrent également une technologie qui nous est inconnue », conclut un spécialiste, le physicien James MacDonald, de l'université de l'Arizona.

Pour le rapport Condon, de l'US Air Force, qui fait autorité en la matière, c'est sans nul doute l'affaire d'OVNI la plus troublante...

Un OVNI dans le viseur

Dans la matinée du 11 mai 1950, Mrs. Paul Trent sort dans la cour donner à manger aux lapins. Elle voit alors passer un énorme disque dans le ciel. Elle appelle son mari, qui court chercher son appareil photographique. Il aura juste le temps de prendre deux clichés de la soucoupe volante...

Légèrement penché sur le côté, l'OVNI se déplace en silence, semant sur son passage de légers remous...

Par mesure de discrétion, Paul Trent fait développer la pellicule chez un photographe de ses amis, et seuls ses proches sont au courant. Précautions au demeurant inutiles, puisque les photos paraissent d'abord dans la presse locale, et ensuite dans la revue *Life*.

Elles connaîtront d'ailleurs un regain d'intérêt une quinzaine d'années plus tard, lors de la publication du rapport Condon, qui, très officiellement, atteste de leur authenticité...

La France envahie

Le 10 septembre 1954, un paysan provençal voit débarquer dans son champ toute une ribambelle de petits bonshommes, « en combinaison de plongée », explique-t-il. Une semaine plus tard, un cycliste est soudain pris de violentes démangeaisons, sur une petite route de campagne, dans la région de Cenon. Il met pied à terre, et il se fige : un énorme « engin » barre la route, à une centaine de mètres. S'avance un petit humanoïde, vêtu d'une espèce de scaphandre. Il fait des gestes de la main, articule des sons étranges, lui touche l'épaule, puis regagne le vaisseau. « Pendant tout ce temps », raconte ce monsieur, « j'étais comme paralysé. » L'OVNI s'illumine; jetant une lueur vert cru, il décolle et disparaît en un clin d'œil...

Dix jours après, c'est au tour de quatre gosses de faire connaissance avec des « Martiens », passablement différents des premiers, il est vrai. Ils sont en train de jouer dans une grange, quand leur chien dehors se met à aboyer furieusement. L'aîné sort voir, et il se retrouve nez à nez avec une espèce de créature de forme rectangulaire ressemblant, dit-il, « à un énorme morceau de sucre ». Le gamin lui lance des pierres, et même une flèche avec son fusil en plastique. Il est alors terrassé par une force invisible. Il se relève aussitôt, et il s'enfuit à toutes jambes. Il a juste le temps de voir, en se retournant, la « chose » s'éloigner à travers champs. Bientôt, un objet rouge, intensément brillant, s'élève dans le ciel. On découvrira un rond noir sur le sol, où l'herbe est entièrement calcinée...

Le mois suivant, on aperçoit au bord d'une route un drôle de petit bonhomme, ne faisant guère plus d'un mètre de haut. Dès qu'on s'approche, il disparaît dans les fourrés. Le lendemain, trois enfants en voient un autre débarquer d'un OVNI. Celui-là a le visage couvert de poils, les yeux globuleux, et il porte une sorte de soutane. Il s'exprime d'une voix métallique, dans une langue incompréhensible...

Vingt-quatre heures plus tard, trois automobilistes circulant dans la région de Royan freinent brusquement en voyant flotter un énorme engin à une dizaine de mètres au-dessus d'un champ. Ils descendent de voiture, et là, ils découvrent un deuxième engin posé sur l'herbe autour duquel s'affairent quatre petits personnages bizarres...

En règle générale, les OVNIS viennent par vagues. Mais jamais on en aura autant vu en France qu'à cette époque...

Un prince l'échappe belle...

Une voiture fonce dans la ligne droite. Le conducteur ralentit soudain en apercevant un passage à niveau, mais hélas un pneu éclate, et il perd le contrôle de son véhicule, qui vient s'encastrer dans la barrière. Le cauchemar s'achève sur la vision d'un homme gisant, mort, sur la chaussée : le prince Bernhard...

A son réveil, cette dame écrit aussitôt à C. Tenhaeff, un parapsychologue d'Amsterdam avec qui elle est en contact, pour lui raconter ce rêve, qu'elle craint prémonitoire. De tous ceux qu'elle a jamais faits, celui-ci, dit-elle, est le plus troublant...

Deux jours après réception de sa lettre, C. Tenhaeff apprend à la radio que le prince Bernhard vient d'être victime d'un grave accident de la route, et que l'on craint une issue fatale... A quelques détails près, tout s'est passé exactement comme l'a décrit sa correspondante. Des travaux étaient en cours sur la voie. Le prince Bernhard est arrivé à toute allure, au volant de sa puissante berline, et il a percuté un camion chargé de sable qui effectuait une manœuvre sur la route. Seules différences, donc, avec la scène entrevue en songe par cette dame, la barrière n'était pas baissée, le camion lui barrait la route, au lieu de la suivre, et enfin, le prince Bernhard, fort heureusement, survivra à ses blessures...

Une année sans été

« Je me rappelle, le 7 juin 1816, je m'étais couvert chaudement, et je portais un pardessus avec des gants », note Jerome Chauncey dans ses Mémoires.

Cette année-là, le temps est complètement détraqué dans le nord-est des États-Unis. Tous les matins, du 6 au 9 juin, la campagne dans le Connecticut est couverte de givre. Il neige même à deux reprises, moins toutefois qu'en Nouvelle-Angleterre, qui est complètement isolée...

On croit enfin l'été venu, quand à la mi-juillet, une nouvelle vague de froid s'abat sur la région, détruisant les récoltes. Le 20 août encore, la température chute au-dessous de zéro...

Qu'est-ce qui se passe ? On prétend parfois qu'il s'agit d'un effet indirect des nombreuses éruptions volcaniques constatées à la même époque un peu partout sur le globe, et qui auraient projeté tellement de poussière et de fumée dans l'atmosphère que cela aurait fait écran au passage des rayons solaires. Rien n'est moins sûr. Car si tel était le cas, pourquoi alors la gigantesque explosion du Krakatoa, vers la fin du siècle, qui se traduit pendant des mois par des crépuscules incendiaires sur toute la planète, n'a-t-elle eu aucune conséquence sur le plan climatique ?

Les Nids géants du Sinaï

En 1821, un certain James Burton découvre en Égypte trois nids géants sur les bords de la mer Rouge. Outre leurs dimensions exceptionnelles – ils font presque 3,50 mètres de large – ils ont la particularité d'être en forme de cône, faits de bric et de broc : herbes, feuilles, branchages, brins de laine, morceaux de vêtements, vieilles chaussures... On trouve même une montre en or du XVIIIe siècle et des ossements humains !...

Il semblerait qu'ils soient l'œuvre d'une cigogne géante, récemment disparue, mais jadis très prisée à la cour des pharaons. L'un d'eux, Shufu, en a d'ailleurs fait graver sur son tombeau, voilà plus de quatre mille ans...

Un croco dans le caniveau

Chaque grande ville possède ses mythes, qui se perpétuent de génération en génération. Le bruit court ainsi avec insistance qu'il y aurait des alligators dans les égouts de New York... Il paraît, en effet, que certaines personnes, ramènent avec eux de Floride des bébés alligators, comme gadgets. L'ennui, c'est que ces bêtes-là, ça grandit, et que ça s'apprivoise mal. En général, ces infortunés sauriens finissent dans les toilettes. Il y en a pourtant qui s'en tirent, et qui hantent alors les égouts, se nourrissant de rats et de détritus, au point d'atteindre parfois une taille considérable...

Tout cela n'est-il qu'une légende ? Pas forcément. Loren Coleman, cryptozoologue, c'est-à-dire spécialiste des phénomènes bizarres observés dans le règne animal, a mené son enquête. Rien qu'entre 1843 et 1973, on recense une foule de témoignages sur les alligators vivant dans le système d'évacuation des eaux usées de la ville de New York. Si la plupart sont hautement fantaisistes, l'un d'eux, toutefois, mérite qu'on s'y arrête. Dans la rubrique « faits divers », le *New York Times* du 10 février 1935 titre en gros : « Des alligators dans les égouts de Manhattan. »

Des enfants, qui s'amusent à jeter des pelletées de neige dans une bouche d'égout, voient soudain bouger quelque chose au fond du trou : un crocodile !

Avec une corde à linge en guise de lasso, ils parviennent tant bien que mal à remonter la bête à la surface. Mais comme celle-ci semble animée d'intentions franchement hostiles, ils l'achèvent à coups de pelle.

On suppose que le bestiau, qui mesure près de 2,50 mètres de long, et pèse plus de 60 kilos, s'est échappée d'un cargo en provenance des Everglades (région de marais située en Floride, où pullulent les alligators), où il avait dû monter accidentellement. Tombé dans l'Harlem River, qui sépare Manhattan du Bronx, notre infortuné alligator se serait alors réfugié dans les égouts, avant d'atterrir au fond de ce puits, à l'angle de la 123e Rue...

A la recherche de l'Atlantide

Formulée pour la première fois par un géologue allemand, Alfred Wegener, la théorie de la dérive des continents suppose que toutes les terres émergées étaient au départ solidaires et ne formaient qu'un bloc, la « Pangée »...

Il est de fait que lorsqu'on examine un atlas, les continents semblent bien s'emboîter les uns dans les autres – à l'exception notable de l'Europe et de l'Amérique du Nord. On pense tout de suite à l'Atlantide, ce pays de légende, brusquement englouti sous les flots, dont parlent les textes anciens...

Et si ce n'était pas un mythe ? De part et d'autre de l'Atlantique on garde le souvenir de cette mystérieuse contrée. Aux Canaries, d'abord, où l'on parle de l'Atalaya, dont les habitants furent à l'époque les seuls survivants d'une catastrophe planétaire. De leur côté, les Vikings évoquent une terre baptisée Atli. En Afrique du Nord, les Berbères se souviennent eux aussi d'un ancien royaume guerrier, riche en fer et en argent. Quant aux Aztèques, et aux tribus vivant sur les bords du lac Michigan, à cheval entre les États-Unis et le Canada, ils rappellent que leurs ancêtres venaient d'une île au milieu de l'océan, baptisée « Azaltan »...

Que s'est-il vraiment passé, il y a maintenant six mille ans ? Une brusque élévation du niveau des mers, consécutive à la fonte massive des glaciers, lors du réchauffement général du globe ? Une formidable explosion volcanique, qui aurait littéralement pulvérisé cette île, ou bien un effondrement soudain, à la suite d'un gigantesque tremblement de terre, ou de la chute d'une météorite ? Nul ne sait, au juste...

Mais ce qui est sûr, c'est que l'on a récemment détecté la présence au fond de l'océan Atlantique de véritables montagnes, d'où coulent des sources d'eau douce, et où demeurent accrochés des lambeaux de végétation terrestre...

Expériences de perception extra-sensorielle en Tchécoslovaquie

Homme simple et affable, Pavel Stepanek n'a jamais prétendu être médium en son pays, la Tchécoslovaquie. Tout juste s'est-il prêté à une expérience d'un savant, Milan Ryzl, qui se demandait s'il était possible de développer des pouvoirs métaphysiques chez un sujet préalablement placé sous hypnose.

Séduit par le projet, Pavel Stepanek s'offre donc comme cobaye, et il devient bientôt un as de la perception extra-sensorielle. Les choses se passent ainsi : dans un carton se trouve un jeu de cartes. Vertes d'un côté, blanches de l'autre, elles ont été battues, codées, puis glissées chacune dans une enveloppe. Pavel Stepanek doit alors deviner de quel côté elles sont tournées, le vert ou le blanc...

Il va connaître une fortune diverse. Au départ, ses résultats dépassent à peine la moyenne. Puis cela se gâte, au point d'être pire que s'il répondait au hasard. Milan Ryzl se désole. C'est un de ses confrères, J.G. Pratt, qui va sauver la situation.

Son idée est simple. Au lieu de donner une réponse globale, Pavel Stepanek doit maintenant décrire chaque carte, l'une après l'autre. Succès immédiat : il enregistre alors un taux de réussite remarquable, sans commune mesure avec ses performances précédentes...

Les Aiguilles miracle

Traitée sans résultat notable par la médecine officielle, une petite fille, atteinte de poliomyélite, retrouve l'usage de ses jambes. Un homme guérit d'une appendicite sans qu'il soit besoin de l'opérer. Une autre personne triomphe de la dysenterie grâce à un seul renforcement de ses défenses immunitaires : trois exemples, parmi tant d'autres, des miracles de l'acupuncture...

L'acupuncture serait née, dit-on, par hasard, dans la haute Antiquité, lorsque l'on aurait constaté que des soldats, blessés par flèche, se seraient tout d'un coup vus débarrassés des maux qui les affligeaient avec le Nei Jins Su Wen, ou « Traité de médecine interne de l'Empereur jaune », datant de plus de quatre mille ans...

Cette thérapeutique repose sur l'idée que toutes les maladies naissent d'une mauvaise circulation du *Ch'i*, entendu comme force vive, ou énergie vitale, et que le remède consiste à rétablir un flux normal dans ces canaux que sont les « méridiens ». Il en existe deux principaux – le Vaisseau du Cœur, qui suit, peu ou prou, la colonne vertébrale, et le Vaisseau de la Conception, concernant la partie avant du corps –, auxquels s'ajoutent une dizaine de branchements, correspondant non pas tant aux divers organes qu'aux diverses fonctions organiques (le cœur constricteur et le triple réchauffeur jouent, en effet, un rôle fondamental, sans dépendre d'aucune partie précise du corps). Les « points », stimulés le plus souvent par le biais d'une aiguille, mais aussi parfois par celui d'un simple massage, se répartissent le long de ces méridiens, et l'on en compte environ deux mille. Il suffit de les activer pour rétablir une circulation correcte, et attaquer la maladie à la racine...

Les effets sont variables. Ils se traduisent aussi bien par un soulagement immédiat (comme dans les douleurs osseuses) que par une lente guérison, étalée sur des mois. On peut se sentir, soit plus calme, soit au contraire « gonflé à bloc », voire même baignant en pleine euphorie, ou encore complètement déprimé – certaines personnes, d'ailleurs, ne remarquent aucune différence...

En règle générale, l'acupuncture, ça marche, et le seul fait que cela agisse aussi sur les animaux prouve en soi qu'il ne s'agit pas d'autosuggestion. Ce qui ne veut pas dire pour autant que l'on en comprenne exactement le mécanisme...

Esprit frappeur

Au départ, c'est juste un petit grattement, un peu comme un rat ou une souris en train de ronger le parquet. Mais voilà que ça s'accélère, et que ça s'amplifie. On entend maintenant franchement cogner au pied du lit. Et d'un seul coup les draps se mettent à glisser!...

Le bruit courait que la maison était hantée. Le propriétaire lui-même, Nicholas Redmond, en convenait, tout comme sa femme et leurs deux locataires, John Randall et George Sinnot...

Incrédules de nature, deux frères, Owen et Murphy Devereux, veulent voir par eux-mêmes. Ils décident donc d'y passer une nuit. Ce soir-là, donc, tout le monde s'installe dans la chambre de John Randall – là où ça se produit le plus souvent. On éteint. Le petit pianotement démarre dix minutes après, soit à 11 heures et demie. Owen et Murphy fouillent sous le lit, ils font le tour de la pièce, sans rien trouver de suspect – câble ou ficelle actionnant un mécanisme quelconque susceptible de faire ce bruit. Brutalement, ça s'arrête. Au bout de dix minutes, ça recommence, en allant de nouveau en crescendo, et c'est là que, – oui! – les draps se mettent à glisser... John Randall les retient, le cœur battant. Le silence retombe dans la pièce, déchiré soudain par un cri. John Randall est jeté en bas du lit par une force mystérieuse! Terrorisé, il accepte, non sans mal, de retourner s'y asseoir.

A 2 heures moins le quart, le martèlement se fait de nouveau entendre, mais cette fois au milieu de la pièce. Ça dure en tout une dizaine de minutes, et puis, plus rien...

Owen et Murphy Devereux se borneront à reconnaître la matérialité du phénomène, sans hasarder aucune hypothèse, et l'on ne sait toujours pas qui est derrière tout cela. Les fantômes, il est vrai, déclinent rarement leur identité...

Poissons tombés du ciel

Le 23 octobre 1947, A. Bajkov, scientifique travaillant au ministère de la Mer et de la Protection de la nature, prend tranquillement son petit déjeuner dans un établissement de Marksville, en Louisiane, quand soudain il entend un crépitement à l'extérieur. Il interroge la serveuse. Elle lui répond qu'il tombe des poissons du ciel! Incrédule, il sort voir. Sur un périmètre d'environ 300 mètres de long et d'une trentaine de large, le sol est jonché de poissons morts, glacés, mais pas complètement gelés : bars, poissons-lunes, vairons, aloses. On en compte par endroits plus de quatre au mètre carré. Un employé de banque et deux commerçants sont à moitié assommés en se rendant à leur travail...

L'affaire provoque une certaine émotion. Un journaliste, spécialiste de ce genre d'enquêtes, crie au canular, mais il s'attire aussitôt la réplique d'un expert du Muséum d'histoire naturelle de Washington, qui a dressé la liste de toutes les « averses de poissons » constatées depuis le début du siècle, telle, par exemple, la nuée de tanches qui s'abat en 1936 sur l'île du Guam, dans le Pacifique...

Ce phénomène, qui se produit surtout par temps d'orage ou de fortes pluies, concerne en principe une seule et même variété de poissons. On l'attribue généralement aux tornades et autres vents tourbillonnants qui s'élèvent sur la mer. Admettons que des poissons frayant en surface soient alors aspirés par paquets entiers. Mais que dire, lorsqu'il s'agit de représentants d'espèces vivant en profondeur – retrouvés à l'occasion morts, secs et sans tête ? Voilà qui reste, pour l'instant, un mystère total...

Regards sur la théorie de l'évolution

Partant du principe qu'une moitié d'œuf doit donner naissance à un demi-embryon, Hans Driesch tente l'expérience avec un œuf coupé en deux au moyen d'une aiguille chauffée à blanc. Contre toute attente, chaque partie engendre un embryon nain, doté toutefois d'un patrimoine génétique complet. Quand, à l'inverse, il fait fusionner deux œufs, il obtient un œuf de taille supérieure à la normale. Hans Driesch en déduit que la vie possède un dynamisme propre, qui tend à l'unité et à la plénitude, indépendamment des circonstances...

Du point de vue de la science, la vie, fruit du hasard, se développe dans le cadre étroit des lois de la physique et de la biologie, régi par un strict déterminisme, excluant toute notion de finalité, ou d'intention. Cette vision mécaniste est loin, pourtant, de faire l'unanimité, et il ne manque pas de savants pour estimer, comme Hans Driesch, que la vie obéit au contraire à un projet et à des lois que lui sont propres...

S'inspirant des travaux de Hans Driesch, un chercheur, nommé Harold Burr, étudie les phénomènes électriques présidant à la mise en place, puis à la réalisation, de ce programme génétique. Il suffit de relier un voltmètre à divers organismes vivants pour mesurer l'intensité du courant électrique en circulation. Dans le cas d'un arbre, la tension varie, semble-t-il, en fonction des saisons, du soleil et de la lune. Chez la lapine, elle augmente brusquement lors de l'ovulation. De même, chez les malades mentaux, elle est directement proportionnelle à la gravité de leur état, observation répétée auprès de cancéreux, et permettant alors de juger exactement de l'évolution de la maladie...

Tout être vivant, conclut Harold Burr, subit l'influence du champ électrique dans lequel il baigne, ou plutôt qui l'habite, et qu'il baptise « champ vital ». Un œuf de grenouille est ainsi traversé par diverses lignes de force chargées d'électricité, qui, progressivement (c'est chose faite au stade du têtard), donnent naissance au système nerveux – comme si la vie venait se couler dans un moule pré-établi...

Harold Burr fera des émules. L'un de ses confrères, Seymon Kirlian, photographiera dans les années 30 le « champ vital » d'une fleur (à l'aide de plaques spéciales), lequel apparaît sous forme d'un halo, de même que se dessinent les contours d'une feuille que l'on vient d'arracher...

Une quarantaine d'années plus tard, deux chercheurs de l'université du Wisconsin, Daniel Perlman et Robert Stickgold, cultivent une bactérie dans une solution contenant un antibiotique censé la tuer. Or la bactérie résiste, et elle va même se reproduire. Jusque-là, rien d'extraordinaire : c'est le système de défense immunitaire qui est entré en action. Mais où les choses se corsent, c'est que la bactérie possédait au départ une souche résistante à cette substance dans ses gènes, et que celle-ci va maintenant connaître un développement considérable, à titre préventif, en somme...

Ce ne serait donc pas, comme on le croit généralement, la matière qui déterminerait la vie, mais la vie qui gouvernerait la matière, en s'affranchissant, au besoin, des lois de la nature, ou en les modifiant. Le programme génétique, nous dit un cybernéticien, est en lui-même d'une telle complexité qu'il ne peut être que le fruit d'une intelligence supérieure et autonome. Nul besoin de préciser que cela va totalement à l'encontre de la théorie darwinienne de l'évolution qui prévaut dans les milieux scientifiques, et que cela soulève une belle polémique parmi les savants. Car, dans cette optique, l'univers tient du prodige, ou de la création continue, et il ne saurait relever d'une seule explication de type déterministe...

Faire-part de décès

Une jeune femme, qu'A. Liebault, auteur d'un ouvrage consacré à la parapsychologie, désigne simplement sous le nom de « Mademoiselle B », remplit des cahiers entiers de « messages » prétendument venus de l'au-delà ; elle écrit constamment, même en parlant...

Le 7 février 1868, à 8 heures du matin, elle s'installe à sa table, et elle ne la quitte qu'à midi, après avoir noirci une bonne dizaine de pages. Au début, c'est assez confus, mais peu à peu le sens transparaît.

C'est une certaine Marguerite, qui lui annonce sa mort. Perplexe, Mademoiselle B se souvient alors d'une ancienne camarade de classe portant ce nom. Elle écrit donc à la directrice de l'école, pour lui demander son adresse, et elle apprend, par retour de courrier, que la Marguerite en question a trépassé le 7 février 1868, à 8 heures du matin...

La Comète rêvée

Un astronome se réveille en pleine nuit : il vient de rêver qu'il passe une comète. A tout hasard, il sort dans le jardin, armé de sa lunette d'observation. Une tache laiteuse pointe à l'horizon...

Lentement, elle traverse le ciel. Charles Tweedle passera le reste de la nuit à la suivre, l'œil rivé à sa lunette. Dès l'ouverture de la poste, il fait télégraphier la nouvelle à la Société d'astronomie (l'histoire se passe au XIXe siècle). Il n'était pas le seul, malheureusement, à scruter le ciel tout à l'heure. Deux de ses collègues, répondant au nom de Barnard et de Hartig, ont également observé la comète, et ils ont déjà prévenu tout le monde...

On leur attribue donc la paternité de la découverte, et l'on parle désormais de « la comète de Barnard et Hartig »... Bien que Charles Tweedle l'ait sans nul doute vue le premier en rêve...

Le Merle blanc

Pour se venger d'une vieille mégère qui empoisonne tout le quartier, ses voisins attendent le mardi gras. La coutume, en Angleterre, veut que ce jour-là on bombarde l'entrée des maisons avec de la vieille vaisselle. Cette année-là, tout le monde s'en donne à cœur joie : la porte de la sorcière reçoit une grêle de casseroles, plats, assiettes, verres, tasses et soucoupes, jetés à toute volée...

L'affaire en resterait là, si elle n'avait eu une conséquence inattendue. Un oiseau va tellement mal prendre la chose qu'il va carrément en changer de couleur. Effrayé par tout ce tintamarre, le beau merle au plumage de nuit qui siffle dans sa cage, chez un voisin, pique une crise : deux jours durant, il sautille sur place, sans rien vouloir manger. Après quoi, il vire au gris. Oui, ses plumes s'éclaircissent, et bientôt apparaît l'oiseau rare : le merle blanc!

Le pauvre... Au fond, ce n'est pas drôle. Comme ces gens, dont les cheveux blanchissent soudain à la suite d'une violente émotion, notre animal de merle, traumatisé par tout ce vacarme, s'en est fait... des plumes blanches!

Traitement de choc

L'orage menace. Appuyé au bord de l'évier, Martin Rockwell regarde le ciel s'assombrir. D'un seul coup, il ne sent plus son bras droit, ni sa jambe gauche, et il reste pétrifié. Une fraction de seconde après, la foudre tombe sous ses yeux, dans un vacarme assourdissant...

Il perd aussitôt connaissance. Il lui faudra ensuite plusieurs jours pour retrouver une motricité normale. Néanmoins, cet incident, qui eût pu lui être fatal, aura une conséquence heureuse, et totalement imprévue. Asthmatique depuis toujours, Martin Rockwell appréhendait l'hiver, où il était en proie à des crises terribles. Mais voilà, depuis qu'il a failli mourir foudroyé dans sa cuisine, il est complètement guéri !

Les Canons de Barisal

Dans la journée, note G. Scott, il y a bien trop de bruit sur le bateau pour entendre quoi que ce soit. Mais la nuit, par contre, quand le navire fait relâche dans le delta du Gange, point de doute, on distingue nettement l'écho assourdi de déflagrations lointaines, parfois isolées, le plus souvent répétées... Ce sont, dit-on, les « Canons de Barisal ».

Ce phénomène unique au monde se produit, semble-t-il, surtout entre le mois de février et le mois d'octobre, lorsque les vents du sud ou du sud-est amènent avec eux des pluies diluviennes. A chaque fois, c'est comme s'il y avait la noce au village, et que l'on tirait des pétards d'artifice, expliquent les gens du coin. Pourtant, on entend les « Canons de Barisal » un peu tout au long de l'année, même pendant la période de jeûne (le temps du Rosa), où l'on ne célèbre aucun mariage...

Et si c'était la terre qui craque, avec de brusques montées de magma ? Qui sait...

Une course de dernière minute

Le premier client se présente dès l'ouverture : c'est un certain Mr. Thompson, qui vient chercher des photos. Elles ne sont pas encore prêtes, mais on les lui promet pour le soir même. C'est, hélas! trop tard, réplique-t-il, car il a voyagé toute la nuit, et il doit repartir sur-le-champ. Un peu surpris, le photographe accepte alors de les lui envoyer par la poste.

Il se met aussitôt à la tâche, et il reconnaît sans peine ce Mr. Thompson, apparemment si pressé. Malheureusement, au moment de procéder au tirage proprement dit, la plaque (à l'époque en verre, l'histoire se situant en 1891) glisse, et elle se brise en mille morceaux. Tout est à recommencer. Le photographe écrit alors à son client, pour lui proposer gracieusement une nouvelle séance de prise de vue...

C'est Mr. Thompson père qui lui répond. Dans sa lettre, il explique que son fils est mort le samedi précédent, à 8 heures du matin, après avoir déliré toute la nuit, en parlant de photos à aller chercher...

Destruction mentale des champignons

La guérison à distance est l'un des thèmes de prédilection des parapsychologues. Reste qu'il est difficile de juger de son efficacité réelle, tant de facteurs entrant en jeu dans la cure... Pour simplifier les choses, on tentera de savoir s'il est possible, par le biais de la télékinésie, de contrarier le développement de cultures biologiques, ou d'organismes primitifs...

L'idée en revient à un médecin français, Jean Barry. En collaboration avec l'Institut d'agronomie de Paris, il entreprend de vérifier si, grâce à la seule puissance de l'esprit, on peut entraver la prolifération de champignons pathogènes. Les coupelles renfermant la solution ad hoc sont placées la veille de l'expérience dans un incubateur. Le lendemain, on en présente 10 à chaque parapsychologue, avec pour tâche de se concentrer sur 5 d'entre elles pendant un quart d'heure, en essayant de freiner le processus biologique; les 5 autres servant de groupe témoin...

Au bout de 39 interventions de ce type, on constate effectivement un écart considérable entre les cultures « traitées », dont l'évolution semble avoir été stoppée net, et les autres, qui prolifèrent allègrement...

Cure musicale

Il s'est toujours trouvé des gens, tels les adeptes de la Science chrétienne (Christian Science), pour croire que l'esprit peut agir sur le corps, et qu'il suffit d'atteindre un certain stade « mental » pour prévenir, ou guérir, la plupart des maladies. L'histoire arrivée à un psychologue canadien et à sa sœur semble bien leur donner raison...

Atteinte d'une tumeur au sein droit, Eilen Jaworski doit subir une intervention chirurgicale, afin de déterminer s'il s'agit ou non d'un cancer, les radios et les examens de laboratoire s'avérant insuffisants. Son frère Harold est effondré. Eilen est tout pour lui, et il ferait n'importe quoi pour la sauver...

La veille de l'opération, il trompe son angoisse en allant écouter l'orchestre de Toronto jouer Mozart et Brahms. Tout à coup, au milieu du concert, il est pris dans le faisceau d'un projecteur. Mais le plus surprenant, c'est que personne autour de lui n'a rien remarqué : il est le seul à le voir ! C'est alors qu'un immense bonheur s'épanouit en lui, il se sent transporté d'allégresse, et faire corps avec la lumière ; la lumière qui lui dit que sa sœur est sauvée...

Le lendemain matin, il interroge le chirurgien au sortir de la salle d'opération. Celui-ci est sidéré : en l'espace d'une nuit, la tumeur a tellement rétréci qu'il a eu un mal fou à la localiser. Évidemment, ce n'était qu'une excroissance bénigne...

Le Mage de Strovolos

Un sociologue américain d'origine grecque, Kyriacos Markides, retourne tous les ans au pays de ses ancêtres dans un but bien précis : il va voir le « Mage de Strovolos », alias Daskalos, un médium réputé pour ses talents de guérisseur. Il est donc bien placé pour juger de ses pouvoirs...

Il amène un jour avec lui un de ses collègues, qui vient de se faire mordre par un chien, et qui a du mal à marcher. Le « Mage » examine notre homme ; il défait le bandage, impose une main sur le mollet, et il déclare tout de go qu'il vient de dissoudre un caillot en formation dans une veine. De fait, quand ce monsieur se relève, la douleur a disparu comme par enchantement...

Mais le plus étonnant, c'est que le mage le prévient aussi qu'il a le foie malade, et qu'il lui faut arrêter de boire. L'intéressé se portant comme un charme, il n'y prête aucune attention. Or, ne voilà-t-il pas que, trois mois plus tard, il est atteint d'une hépatite !

Modeste, le « Mage de Srovolos » explique qu'en soignant la jambe de ce monsieur, il a également décelé chez lui une dilatation du foie, obstruant le cholédoque, ce qui, tôt ou tard, ne manquerait pas de se terminer par une cirrhose...

Autrement dit, il a « vu », ou « senti », une maladie qui allait mettre trois mois à se déclarer...

Effet inverse

Dean Kraft est l'un des guérisseurs les plus réputés aux États-Unis. A ce titre, il participe, en 1986, à toute une série d'expériences, conduites dans un centre de recherche de San Francisco. Comme les autres parapsychologues réunis, il s'essaie à détraquer des champs électriques ou magnétiques, à provoquer des perturbations dans des chambres d'ionisation, et ainsi de suite...

Si les résultats ne sont guère probants, la session sera marquée par un incident tragi-comique, demeuré à ce jour inexpliqué. On lui demande un jour de soigner un rat souffrant d'hypertension (on l'a gavé exprès) la pauvre bête. Comme le veut la règle, il ne pénètre dans la salle qu'au dernier moment. L'ennui, c'est qu'il a toujours eu horreur des rongeurs, et que celui-ci lui inspire une répugnance instinctive. Or, il est impossible à un guérisseur, explique-t-il, de traiter un patient avec lequel il ne se sent pas bien...

Il fait néanmoins de son mieux pour soulager, grâce à son fluide, le rongeur hypertendu. Puis il sort, et tout le monde avec lui. A la stupeur générale, le rat ne supporte pas le traitement. Lorsque l'on revient deux heures plus tard prendre sa tension, il est mort!

Personnalité magnétique

Quelques semaines avant la fin de la Seconde Guerre mondiale, Nina Koulagina, une jeune femme qui sert dans l'armée rouge, est blessée par un éclat d'obus. A son grand dépit, elle ne participera pas à la prise de Berlin. Hospitalisée quelques jours, elle est ensuite démobilisée et elle regagne son foyer, la mort dans l'âme...

C'est alors que se produisent en série des incidents bizarres. Tout commence un matin : « Je me dirigeais vers le placard, quand soudain une cruche a glissé toute seule et s'est brisée sur le carrelage », raconte-t-elle. Une véritable folie s'empare de son petit deux-pièces : les lumières s'éteignent, les portes claquent, les assiettes sautent sur la table... Nina Koulagina pense tout de suite que la maison est hantée, mais elle constate que ces phénomènes ne se produisent jamais qu'en sa présence. Elle en est donc la cause ! Fascinée par la découverte de ses pouvoirs, elle s'applique dès lors à les développer, tant et si bien qu'au bout de quelques mois elle peut, à volonté, déplacer des objets à distance...

Il n'en faut pas plus pour attirer tout ce que l'URSS comprend comme spécialistes en matière de télékinésie. Au total, Nina Koulagina participe à plusieurs centaines d'expériences, dont près de soixante sont filmées. Entre autres prodiges, l'histoire retiendra qu'elle sépare un jour, par la seule force de sa pensée, le jaune et le blanc d'un œuf plongé dans une solution alcaline...

Pendant toute la démonstration, elle déploie,

comme en témoignent les divers appareils de mesure reliés à son cerveau, un effort intense de concentration. Toutes les quatre secondes, elle émet une bouffée d'ondes électromagnétiques, qui, suivant le cas, attirent ou repoussent l'objet considéré...

Table des matières

L'Avenir du visage 9
L'Expérience du seuil de la mort chez les enfants 11
Mortel Alibi 13
Les Habitants des astéroïdes 15
Pluie d'oiseaux 17
Une blonde du temps jadis 19
Le Feu intérieur 21
Évolution programmée 23
La Mer du Diable 25
Dissection en famille 27
Rêve à la une 29
Rumeur domestique 31
La Cité des Morts 33
Langage nocturne 35
Le Monstre de Tasmanie 37
Animaux déplacés 39
Frôlée par un monstre 41
Qui es-tu, Oliver? 43
L'Enfant Loup 45
L'Extinction des dinosaures 47
Bébé Mammouth 49
Bikini 51
La Cité engloutie 53
Mortelle étreinte 55
Disparu dans le Triangle des Bermudes 57
Le Manuscrit mystérieux 59
Un yéti dans l'OVNI? 61
Le Triangle des Bermudes 63
Le pouvoir maléfique du Triangle des Bermudes 65
Au voleur! 67

La Proie des flammes 69
L'Étoile noire des Hopis 71
Coïncidence poétique 73
Calcinée de l'intérieur 75
Les Russes et la parapsychologie 77
Les Vautours de Gettysburg 79
Télépathie en morse 81
Les Songes d'un ecclésiastique 83
Aberrations gravitationnelles 85
Le Secret des pyramides 87
Le Phare d'Alexandrie 89
Aspirés par un OVNI 91
L'Astronaute du siècle passé 93
Un million de livres sterling pour un OVNI .. 95
Le Cratère géant du pôle Sud 97
Pile antique 99
L'Étoile de la mort 101
Les Grecs et le rayon de la mort 103
Les Aérostiers de la cordillière des Andes 105
Langage animal 107
Mule féconde 109
L'Homme de Néanderthal aujourd'hui 111
Personnalité foudroyante 113
L'OVNI inaperçu 115
Dissociation salutaire 117
OVNI espiègle 119
Elvis est de retour! 121
Oies en chute libre 123
Toiles flottantes 125
La Manne céleste 127
L'Armada disparue 129
Les Poils de la terre 131
Prévoir les séiïsmes? 133
Mur d'eau 135
Brumes assourdissantes 137
Guérison à distance 139
Les Sirènes du Bosphore 141
Einstein et l'horloger 143
Pyramides sur Mars 145
Nostradamus et la Révolution française 147
Des Indiens chez les Romains 149
Triste Fin de partie 151
Saint Louis châtie le blasphème 153
Saturnales et religion 155
Les Assyriens de l'Amazone 157

Impendable........................ 159
Massacres de chats.................... 161
Un OVNI se fait de la pub.................. 163
La Terre creuse...................... 165
Hitler et la Bulle...................... 167
Le Monstre du Loch Ness................ 169
Art pariétal australien.................. 171
La Vision d'Ezéchiel.................... 173
L'Hiver atomique...................... 175
Les Ailes des anges.................... 177
Saturnisme à la romaine................. 179
Le Lion amoureux..................... 181
Décès suspects....................... 183
Raspoutine........................... 185
Deux Anglaises chez Louis XVI............ 187
La Veuve et l'assassin................... 189
Vision de meurtre..................... 191
Pluie sans nuages..................... 193
Heureuse Précipitation.................. 195
Pannes suspectes...................... 197
Mort agitée.......................... 199
Rencontres mystérieuses................. 201
Distorsion du temps dans le Triangle des Bermudes........................... 203
Réincarnation......................... 207
Instituteur scalpé..................... 209
La Tombe nue......................... 211
Qui a vraiment découvert l'Amérique?....... 213
Des témoins au-dessus de tout soupçon....... 215
Prémonitions......................... 217
Où sont passés les bras de la « Vénus de Milo »? 219
Qui l'a tué?.......................... 221
Erreur judiciaire...................... 223
Dédoublement de personnalité............. 225
Spatioports.......................... 227
Pauvres Zombies!...................... 229
Des os et des molécules................. 231
Le Monstre du Chesapeake............... 233
Univers intelligent..................... 235
Les Droits constitutionnels des extraterrestres. 237
Les Dinosaures et la gravité terrestre........ 239
Suicide solaire........................ 241
Le Satellite en trop.................... 243
Une bombe à la maison.................. 245
Technologie spatiale.................... 247

A la mémoire d'Edgar Poe.................. 249
Almas, ou Yétis?.......................... 251
Découverte rêvée.......................... 253
Retour en arrière......................... 255
Double Avertissement...................... 257
Mick à la rescousse....................... 259
Les Martiens arrivent! 261
Forte Personnalité........................ 263
Un demi-siècle de transe 265
Vision aveugle............................ 267
Les Miracles du cerveau................... 269
Médium détective.......................... 271
La Parapsychologie au service de la loi...... 273
Le Professeur Gladstone 275
Le Crayon magique 277
Prédictions révolutionnaires.............. 279
La nuit porte conseil..................... 281
Voleuse somnambule 283
Divination sur ordonnance................. 285
Singes aquatiques 287
OVNI en forme de «v»...................... 289
Steack de mammouth 291
OVNIS et images mentales.................. 293
Cigare volant............................. 295
L'Inventeur de la science-fiction......... 297
Les Écrits du mage 299
L'Homme de l'an 3000 301
Faune anglaise............................ 303
... Drôles de bêtes en Angleterre 305
Les Spationautes de l'Ancien Japon........ 307
Sur le toit du monde...................... 309
Chasseur de yétis 311
Avion en orbite........................... 313
Rêves d'éternité.......................... 315
Vision de meurtre 317
Éclaircissements sur le Triangle des Bermudes? 319
Les Hommes bleus 321
L'Autoroute maudite....................... 323
Les Visions des mourants.................. 325
Clichés d'OVNIS 327
Des martiens chez les Cariocas............ 329
La Tête et les jambes 331
Esquimaux évaporés........................ 333
Victoire navale en plein désert........... 335
Les Vikings du Tennessee.................. 337

Le Retour de John Paul Jones 339
Le Cheval médium 341
La Mort d'un héros 343
Le Monstre du Devonshire 345
De la friture sur la ligne... 347
L'Arbre cannibale 349
Témoignages sur l'au-delà 351
Tortues géantes 353
Le Chiffre de la Bête 355
Le Rideau tombe 357
Ils vous tiennent à l'œil! 359
Graffiti nationaliste 361
La Tête dans le seau 363
Grenouille antédiluvienne 365
L'Impossible Portrait 367
L'Empreinte de l'innocence 369
Le Cercueil en trop 371
Géant préhistorique 373
Disparus dans le désert 375
Mystère en haute mer 377
Secours miraculeux 379
Cinque 381
Naufrage anticipé 383
Brumes roses 385
Les Surprises de l'orage 387
Un OVNI à la mer! 389
Monstres bicéphales 391
OVNI à Hawaï 393
Suicide rêvé 395
Les Petits Hommes noirs 397
Lumières dans le désert 399
La Bible et ses trésors 401
Les morts ont la bougeotte 403
Un réveil douloureux 405
Policier somnambule, ou assassin innocent? .. 407
Les Rois du calendrier 409
Le Vaisseau fantôme 411
Silence impératif 413
Le Chaînon manquant 415
Cadavre hirsute 417
En un si long sommeil... 419
Éruptions solaires et crises économiques 421
Neuf Tonnes de verre, et trois mille ans... ... 423
Les Sphères du Costa Rica 425
Les Chats et les rayons X 427

Le Cimetière des baleines........................ 429
Souris musicales 431
Pommettes saillantes 433
La Lune en direct 435
Plus qu'une coïncidence 437
Fin posthume.................................... 439
Prodige idiot 441
L'Arche de Noé.................................. 443
Horripilant..................................... 445
Monstres du Continent noir...................... 447
Qui l'a pondu? 449
Hécatombe sur l'Atlantique 451
Le Trésor de l'Inca 453
L'Arbre à pluie................................. 455
Ils arrivent!.................................... 457
Les Facéties d'un OVNI 459
Vies antérieures................................ 461
Des animaux dotés de raison? 463
Collision en plein ciel.......................... 465
Génération spontanée............................ 467
Les Poissons tournent de l'œil................... 469
Reptile volant 471
L'Engin mystère 473
Un médium au Mexique............................ 475
Des lueurs dans la Pampa 477
Lacs détonants.................................. 479
Illusions acoustiques............................ 481
L'Onde bruissante............................... 483
Météorites à la dérive........................... 485
Les Fatas Morganas 487
Mirage en mer 489
Virginale Apparition............................. 491
Des Vikings sur la côte Ouest.................... 493
Vestiges romans en Arizona....................... 495
La Cité boréale 497
Châteaux en Alaska 499
Mémoire d'éléphant 501
Maçonnerie inca................................. 503
Dune mélodieuse................................. 505
Transformée en torche vive....................... 507
Des rats et des hommes 509
La Combustion spontanée face à la médecine. 511
Dentiste ventriloque............................. 513
Quand le ciel s'embrase 515
Cerveau photo sensible à distance 517

Ubiquité 519
Banlieusards lapidés 521
La Vie après la mort 523
Une mystique en Bavière 525
Le Premier OVNI signalé 527
Crésus et la Pythie 529
L'Armée de l'air et les OVNIS 531
Un OVNI dans le viseur 533
La France envahie 535
Un Prince l'échappe belle... 537
Une année sans été 539
Les Nids géants du Sinaï 541
Un croco dans le caniveau 543
A la recherche de l'Atlantide 545
Expériences de perception extra-sensorielle en Tchécoslovaquie 547
Les Aiguilles miracle 549
Esprit frappeur 551
Poissons tombés du ciel 553
Regards sur la théorie de l'évolution 555
Faire-part de décès 557
La Comète rêvée 559
Le Merle blanc 561
Traitement de choc 563
Les Canons de Barisal 565
Une course de dernière minute 567
Destruction mentale des champignons 569
Cure musicale 571
Le Mage de Strovolos 573
Effet inverse 575
Personnalité magnétique 577

Dans la même collection

AIMÉ (J.), *La Révolution et l'astrologie*
BARRETO (Y. Perez), *Sarita, le chemin des chamans*
BORIE (G.)/JOUIN (G.), *L'Astrologie, l'interprétation des signes par les mythes*
BUESS (L.), *La Numérologie de l'ère du verseau*
CHARON (J.), *La Femme de la genèse*
CHAUVIN (R.), *Les Veilleurs du temps*
CHAUVIN (R.), *Voyage outre-terre*
DANIELOU, *Fantaisie des Dieux et l'aventure humaine*
DANIKEN (E. van), *Preuves des civilisations extra-terrestres*
DONNER (F.), *Le Rêve de la sorcière*
DORSAN (J.), *L'Astrologie et la bourse*
DROUOT (P.), *Nous sommes tous immortels*
DROUOT (P.), *Des vies antérieures aux vies futures*
FONTBRUNE (J. Ch. de), *Nostradamus, histoire et prophétie des papes*
FONTBRUNE (J. Ch. de), *Nostradamus, historien et prophète* T. 1
FONTBRUNE (J. Ch. de), *Nostradamus, historien et prophète* (relié) T. 1
FONTBRUNE (J. Ch. de), *Nostradamus, historien et prophète* T. 2
FORREST (S.), *Astrologie : le ciel intérieur*
HARDY (Ch.), *L'Après-vie à l'épreuve de la science*
HOLLEY (G.), *Comment comprendre votre horoscope*
HUTIN (S.), *Nostradamus et l'alchimie*
KOECHLIN DE BIZEMONT (D.), *Prophéties d'Edgar Cayce*
KOECHLIN DE BIZEMONT (D.), *Edgar Cayce, guérir par la musique*
KOECHLIN DE BIZEMONT (D.)/STEINHART (L.), *Edgar Cayce, recettes de beauté et de santé*
KRIPPNER (S.), *Les Pouvoirs psychiques de l'homme*
KURTH (H.), *Dictionnaire des rêves de A à Z*
MAC GAREY (W.), *Les Remèdes d'Edgar Cayce*
MONROE : *Le Voyage hors du corps*
MULDOON (S.)/CARRINGTON (H.), *La projection du corps astral*
MURPHY (J.) Dr., *Comment utiliser les pouvoirs du subconscient*
OSIS/HARALDSON, *Ce qu'ils ont vu au seuil de la mort*
RAMPA (T.L.), *L'Ermite*
RAMPA (T.L.), *La Treizième Chandelle*
RAMPA (T.L.), *Pour entretenir la flamme*
REANT (R.), *Nouvelles Expériences de parapsychologie*
REANT (R.), *La Parapsychologie pratique pour tous*
REANT (R.), *La Parapsychologie et l'invisible*
REANT (R.), *Pratiquez la parapsychologie*
REJU (D.), *Le Troisième Secret de Fatima*
ROBINSON (L.W.), *Enseignement et prédictions d'Edgar Cayce, médium et guérisseur*
THURSTON (H.), *Les Phénomènes physiques du mysticisme*
WARING (PH.), *Dictionnaire des présages et superstitions*
WONDER (J.)/DONOVAN (P.), *Utilisez les pouvoirs de votre cerveau*

Cet ouvrage a été réalisé sur
Système Cameron
par la SOCIÉTÉ NOUVELLE FIRMIN-DIDOT
Mesnil-sur-l'Estrée
pour le compte des Éditions du Rocher
le 25 mai 1990

Imprimé en France
Dépôt légal: mai 1990
N° d'édition: CNE Section commerce et industrie
Monaco: 19023 - N° d'impression: 14495